DE ONTMOETING

Margriet Kousen

De ontmoeting

FOR BOOKS

Margriet Kousen: De ontmoeting

Maartensdijk, B for Books b.v.
ISBN: 9789085163244
NUR: 301, Literaire roman, novelle

Druk: Drukkerij Wilco, Amersfoort
Omslagontwerp: Studio Verbraeken, Amsterdam
Auteursfoto: Willy Opreij

Voor Maud en Ellen

Proloog

Hij is bang, hij is nog nooit zo bang geweest. Hij is bang voor de vrouw die hem belaagt. Wat wil ze toch van hem? Is de dood een vrouw? Hij zoekt troost bij zijn moeder maar zij is niet meer dan een ijle schaduw, ongrijpbaar. Op het ene moment reikt ze hem haar hand, op het volgende moment trekt ze die alweer terug en draait ze van hem weg.

Wanneer ze zich weer naar hem toedraait schemert het gezicht van die vreemde vrouw door het hare heen.

1

Ergens in het grenzeloze gebied tussen slapen en ontwaken blijft een droom haken. Telkens wanneer Lily zich ervan wil ontdoen zuigt hij haar, in een poging haar mee te nemen naar een plek waar ze niet wil zijn, terug naar binnen. Het lijkt erop, daar is haar onderbewuste inmiddels van overtuigd, dat hij haar koste wat kost wil dwingen het beangstigende einde te ondergaan. Met het binnen kierend zonlicht als handlanger weet ze zich uiteindelijk te bevrijden van haar plaaggeest. Even later opent ze de gordijnen en laat ze haar blik met welgevallen hun tuin rond gaan terwijl ze nog even nadenkt over de nachtmerrie.

Ze was bijna vergeten dat ze lang geleden met regelmaat werd overvallen door dergelijke angstdromen. Inderdaad lang geleden. In haar huidige leven, dat in een kalme stroom verloopt, passen ze niet meer. Tegenwoordig gaat haar ontwaken meestal gepaard met het prettige besef dat ze ook vandaag weer aan het werk mag gaan. Ze vindt dat een voorrecht. Nog iedere dag prijst ze zich gelukkig met de beslissing van zeven jaar geleden, de dochters waren inmiddels voorgoed het huis uit, om haar vroegere beroep weer op te pakken.

Vrienden hadden haar erop gewezen dat ze er rekening

mee moest houden dat haar vak in de loop der jaren zeker was veranderd. Natuurlijk, de hoofdkapjes waren afgeschaft, de nonnen bijna verdwenen en de verpleegster was gepromoveerd tot verpleegkundige, maar de basis, iets te kunnen betekenen voor mensen, was nog steeds dezelfde, had ze zonder sentiment vastgesteld.

Ze is zeker geen heilige, en ze beschouwt zichzelf ook niet als een moderne versie van Florence Nightingale, maar het besef nodig te zijn schenkt haar voldoening.

Toch bleken de beweringen van haar vrienden te kloppen. Vanaf het moment dat de hoofdzuster was bevorderd tot afdelingsmanager, was ook de cultuur veranderd. Die verandering betekende vooral dat er vanaf toen meer tijd aan de interne organisatie werd besteed dan aan de patiënten. Nadat ze een keer 'corrigerend' was toegesproken omdat ze tien minuutjes was blijven zitten bij een zieke die hooguit nog een week te leven had, was voor haar de maat vol geweest. In zo'n systeem paste zij niet.

Sinds het moment dat ze had gehoord van de eerste hospices die op diverse plaatsen in het land werden geopend, had ze geweten dat ze daar zou willen werken. Toen ze vernam dat er ook in haar buurt een hospice zou komen, had zij zich als eerste aangemeld. Vanaf dag één had ze het gevoel gehad dat alles op zijn plaats viel. Hier kon ze daadwerkelijk iets betekenen voor mensen in hun laatste levensfase.

Dus maakt ze zich ook deze morgen weer op om, nadat ze zich pertinent van haar nachtelijke plaaggeest heeft ontdaan, met een soort van blijmoedigheid naar haar werk te gaan.

Zelfs nu ze na al die jaren deze weg met gesloten ogen kan rijden geniet ze nog steeds van haar omgeving. Het landschap tovert zichzelf telkens weer om. Het blijft haar verwonderen hoe een simpele windvlaag het beeld van een korenveld verrassend kan veranderen of een zware schaduw het dal nog majestueuzer kan doen lijken en het landschap bijna verschuift.

Aangekomen op het punt dat ze zicht op het hospice heeft, vraagt ze zich weer eens af hoe het mogelijk is dat een huis dat bijna liefelijk omhelsd wordt door overdadig groen, tegelijkertijd zoveel pijn en verdriet kan herbergen.

Gelukkig kunnen sommige gasten nog een beetje genieten van hun omgeving. Zoals mevrouw Smeets die haar toewuift vanuit haar rolstoel die door haar echtgenoot in de binnentuin wordt voortgeduwd. Mevrouw Smeets geniet, zoals ze haar toevertrouwde, nog altijd zeer intens, ze telt geen dagen of uren meer maar minuten.

Op kantoor wacht de nachtwacht haar op voor de overdracht. In haar vakantie zijn er twee nieuwe gasten gekomen.

Mevrouw Tervoort is het levende bewijs dat ook de naderende dood een heftig karakter niet kan veranderen. Haar collega duidt mevrouw voorzichtig aan als een prinses op de erwt. Zij heeft in de paar dagen dat ze hier is al meer aandacht gevraagd dan anderen in een hele maand. Mevrouw kan zeurderig en veeleisend zijn en haar serviele man zal hoogst waarschijnlijk zijn hele leven al haar eisen hebben vervuld.

De tweede nieuwe gast, meneer Janssen, is een stille en

bescheiden man die dankbaar is voor elk gebaar. Zijn vrouw is ieder dag aanwezig en ondersteunt hun team zo veel mogelijk.

Ze stapt als eerste bij mevrouw Tervoort binnen die haar met vorsende blik opneemt. Ze stelt zich voor en zegt, terwijl ze even de sprei recht trekt, vriendelijk: 'Nog steeds veel pijn zeker...?'

Ze ziet de gefronste blik spontaan veranderen in verbaasde vriendelijkheid. Ze weet, het is een kunstje: klagerige patiënten altijd even steunen in hun geklaag. Het eerste wat ze dan meestal doen is zelf hun geklaag afzwakken.

'Bent u nieuw?'

'Nee, ik werk hier al zeven jaar maar ik had een week vakantie.'

'Bent u weg geweest?'

'Ja.'

'Waarheen?'

'We waren in Zuid-Italië.'

'U met uw man?'

'Ja, met m'n man.' Ze antwoordt omdat ze weet dat mevrouw haar aandacht wil vasthouden en een amicaal sfeertje wil scheppen. Jongere collega's waarschuwen haar wel eens voor het verliezen van afstand. Maar zij verwondert zich op haar beurt over de strakke grens die zij soms trekken om niet meer te doen dan hun plicht.

'Vroeger gingen mijn man en ik ook met vakantie naar Italië...' De toon wordt weer klagerig.

'Ik kom straks even kennismaken met uw man.'

'Ja, als hij maar niet weer zo laat is...'

'Hij weet dat u niet wegloopt,' knipoogt ze en gaat op weg naar haar volgende 'nieuwe' gast.

De status van meneer Janssen vertelt haar dat hij het zoveelste slachtoffer is van kanker. Door veel mensen nog steeds 'de gevreesde ziekte K' genoemd. Het stoort haar ontzettend dat mensen menen die struisvogelpolitiek te moeten toepassen. Alsof je de ziekte door hem eenletterig aan te duiden op afstand kunt houden. Ik moet opletten, denkt ze, als ik straks mijn rapportage schrijf, dat het Janssen met dubbel 's' is.

Meneer slaapt, zijn kale hoofd ligt zijwaarts op het kussen. Ze neemt voorzichtig het spuugbakje op en vult het glas met fris water. Ze laat, als ze het glas terugzet op het nachtkastje, haar blik weer even op zijn hoofd rusten.

De ontluisterende aanblik van zo'n kaal hoofd beroert haar nog steeds en stemt haar telkens weer een beetje droevig. Soms probeert ze zich iemand voor te stellen met een flinke bos haar. Zelfs als de mensen een tijdelijke pruik dragen, kan dat de verwoestende werking van de chemotherapie niet maskeren. Zijn hoofd is kaler dan de binnenkant van een eierschaal.

Ze blijft nog even in de deuropening staan omdat de man een ongedurige beweging met zijn hoofd maakt maar zijn ogen blijven gesloten. Ze besluit hem nog even met rust te laten. Wanneer je tijd van leven al is geteld maakt het innemen van medicijnen een paar minuten vroeger of later ook geen verschil meer.

Op de gang botst ze bijna tegen een dame aan die zich voorstelt als mevrouw Janssen. Ze kijkt Lily met grote vraagogen aan.

'Uw man heeft een rustige nacht gehad, hij slaapt nog,' zegt Lily geruststellend.

'Gelukkig,' verzucht de vrouw, 'thuis waren juist de nachten het zwaarst; sinds hij hier is lijkt het alsof hij kalmer is. Ik kom even schoon goed brengen, ik moet ook nog een paar zaken in de stad regelen. Als hij blijft slapen, wilt u hem dan zeggen dat ik er vanmiddag weer ben?'

'Dat zal ik zeker doen. Het is voor onze gasten vaak rustgevend als ze hier zijn, bovendien voelen ze zich ook minder bezwaard doordat ze hun familie ontlasten,' voegt ze er aan toe.

'Het was voor mij helemaal geen last,' antwoordt de vrouw dapper.

'Natuurlijk niet, maar u heeft beslist de afgelopen week weer eens wat beter kunnen slapen.'

'Ja, ja eigenlijk wel...'

Een half uur later, als Lily in de keuken bezig is, meldt de vrouw zich weer.

'Hij slaapt nog steeds,' zegt ze met fluisterstem.

'U maakt hem van hier uit echt niet wakker,' glimlacht Lily.

De vrouw ontspant even.

'Af en toe ben ik nerveuzer dan hij. Hij is zo flink, je hoort hem nooit klagen. Eigenlijk ben ík veel bozer. Hij is een goede man, een goede vader, gewoon een goed mens. Hij heeft niet zo'n gemakkelijk leven gehad. Maar zoals ik al zei, daar klaagt hij niet over. Hij is een binnenvetter, hij praat sowieso niet. Vreet alles op. Ik blijf me afvragen waarom hij nu zo gestraft moet worden? Waarom hij?'

'Iedereen die getroffen wordt door een ongeneeslijke ziekte stelt zich diezelfde vraag; ik weet inmiddels hoe wispelturig het leven kan zijn. We zullen goed voor uw man zorgen,' antwoordt ze en legt even haar hand op de arm van de vrouw.

'Als u vragen heeft kunt u altijd bij me terecht.'

De vrouw knikt haar dankbaar toe.

Lily weet dat ze haar niet meer te bieden heeft dan een beetje troost. Tegen de fratsen die het leven uithaalt valt immers niet te vechten.

'Fijn, dank u, want ik heb natuurlijk nog heel veel vragen.'

'Laat het me maar weten als u me nodig heeft.'

Soms heb je met gasten of hun familieleden meteen een goede verstandhouding, Lily voelt dat het met deze vrouw ook gebeurt, ze liggen elkaar. Ze zal haar belofte goed voor haar man te zorgen zeker gestand doen.

'We kunnen ook even samen een kop koffie drinken,' biedt ze vriendelijk aan als ze ziet dat de vrouw aarzelt.

Haar gretige "graag" maakt duidelijk dat ze behoefte heeft aan een luisterend oor.

'Ik voel me soms zo tekortschieten,' zegt ze nadat ze aan haar koffie heeft genipt.

Lily kijkt haar bemoedigend aan.

'Maar als hij niet praat kan ik hem ook niet helpen.'

'Dat hij niet praat hoeft niet uw schuld te zijn. Mensen willen niet altijd alles delen. Soms zwijgen ze omdat ze iemand anders niet willen belasten. Soms praten mensen pas na jaren, sommigen praten nooit. Heeft u een vermoeden waaronder uw man lijdt?'

'Het is de schuld van die oorlog,' zegt ze met verstikte stem. 'Hij heeft in de oorlog zaken meegemaakt waarover hij niet wil of kan praten. Toen ik de eerste keer iets las over een posttraumatisch stresssyndroom herkende ik het meteen. Maar toen mijn man terugkwam uit de oorlog had nog nooit iemand van een posttraumatisch stresssyndroom gehoord.'

Lily knikt meelevend.

De vrouw zucht diep en zegt dan, 'op een bepaald moment is hij gaan drinken, hij werd een kwartaaldrinker, zijn deliriums waren vreselijk. Eens in de zoveel tijd verdween hij om voor een paar dagen onder te duiken. Wij bestonden dan niet meer voor hem, we waren hem tijdelijk kwijt. Ik was soms boos maar als ik zag hoe erg hij er zelf onder leed kon ik alleen maar medelijden met hem hebben, dan voelde ik bijna zelf zijn pijn. U mag door wat ik nu vertel geen verkeerde indruk krijgen van mijn man. Hij is altijd een goede man voor mij geweest en voor onze twee zonen een geweldige vader,' zegt ze terwijl ze Lily dwingend aankijkt. 'Zijn woede was nooit tegen mij of de jongens gericht, het was een geest uit het verleden die hij bevocht.'

'Ik veroordeel uw man niet,' stelt Lily haar gerust.

Haar blik zweeft even weg terwijl ze hoofdschuddend mompelt: 'Die rotoorlog.'

'Heeft uw man tegen de Duitsers gevochten?' vraagt Lily.

Ze stoot een licht honend geluid uit.

'Mijn man heeft wel eens gezegd: "Had ik maar tegen de Duitsers gevochten dan was ik nu een held geweest." Maar hij moest in Indonesië gaan vechten in een oorlog die geen oorlog mocht heten maar politionele acties genoemd diende te worden. En verliezers worden nooit helden.'

'Heeft uw man professionele hulp gezocht?'

'Dat heeft hij altijd geweigerd, zelfs onze huisarts lukte het niet hem daartoe te bewegen. Eén keer heeft hij die stap gezet, maar toen hij thuiskwam zag ik meteen dat het ook de laatste stap was geweest. Soms probeerde ik hem na zo'n delirium, hij voelde zich dan altijd erg schuldig, te dwingen om met me te praten. Maar meer dan dat die drank zijn maat was in zijn gevecht tegen zijn angstdromen, heeft hij nooit willen vertellen. Die angstdromen kon hij niet ontkennen omdat die hem geregeld kreunend of schreeuwend uit zijn slaap haalden.'

'U zegt dat uw man plotseling is gaan drinken, weet u of daar op dat moment een specifieke aanleiding voor was?'

'Ja dat weet ik nog precies: toen hij hoorde van de treinkaping door Molukse jongeren. Zijn reactie was zo buitensporig dat de jongens hem zelfs moesten kalmeren. Hij is toen woedend de deur uitgestoven. Ik stond net op het punt om de politie te bellen toen hij, bijna een etmaal later, stomdronken tegen de voordeur aan viel. Ik wist al wel dat de Indonesiërs geen vrienden van hem waren, maar dat zijn wrok tegen die "ploppers" zoals hij ze noemde, zo groot was, drong toen pas echt tot me door.'

'Had u dan eerder nooit iets gemerkt?'

'Niet zo duidelijk. Jaren eerder, we waren nog maar net

getrouwd, is er ook wel iets gebeurd waarvan ik ben geschrokken, maar nog niet inzag hoe diep het bij hem zat. We gingen in de stad in een nieuwe bar iets drinken. Mijn man was in een jolige stemming tot op het moment dat er een jonge vrouw met een exotisch uiterlijk achter de bar verscheen... Het leek alsof iemand een emmer water over zijn hoofd goot. Hij sprong op, trok mij als het ware van de barkruk af en snauwde: "Kom we gaan, ik wil niet worden bediend door die blauwe."

Ik heb hem woedend aangesproken op zijn gedrag, wilde uitleg... die beloofde hij ooit te zullen geven... maar dat is er nooit van gekomen. Daarna deden zich zulke incidenten niet meer voor...' Ze kijkt Lily verontschuldigend aan: 'Misschien als ik hem had gedwongen te praten, wie weet... Later toen ik begreep wat die oorlog bij hem had aangericht, hoe hij leed, heb ik steeds gedacht en gehoopt: Ooit lucht hij zijn hart tegen me en kan ik de pijn met hem delen en misschien wel wegnemen... Nu besef ik dat het te laat is, dat ik te laat ben.'

'U hoeft zichzelf niets te verwijten,' zegt Lily met een geduldige stem. 'U heeft moeten ervaren dat zelfs de grootste liefde niet altijd in staat is om de ander te behoeden voor verdriet.'

Ze slikt een paar keer voordat ze met trillende stem zegt: 'Sorry ik wil nu niet janken, maar ik voel me zo machteloos.' Ze draait beschaamd haar hoofd weg als ze een andere bezoeker de huiskamer ziet binnenstappen.

'Dat gevoel van machteloosheid kennen we allemaal. Gaat u nu maar uw boodschappen doen, een andere omgeving zal u goed doen, ondertussen zorgen wij wel voor uw man.'

'Ja, dat ga ik doen. Dank u dat u naar me heeft willen luisteren, dat had ik even nodig. Zegt u tegen mijn man dat ik er straks weer ben?'

'Natuurlijk. Gaat u nu maar, u weet dat hij bij ons in goede handen is.

Hij slaapt nog steeds, ziet Lily als ze weer even binnen glipt, maar zijn hoofd ligt nu recht op het kussen, zijn kin steekt zoekend omhoog. Voorzichtig schuift ze de gordijnen open maar hij reageert niet. Wanneer ze besluit dan maar later terug te komen en de kamer uit wil lopen bekruipt haar plotseling een vreemd gevoel. Weifelend blijft ze in de deuropening staan en tast met haar ogen opnieuw het gesloten gelaat af. Nog voordat ze haar blik kan losmaken dient zich in een flits een onduidelijk gevoel van herkenning aan. Die onderhuidse sensatie gebiedt haar nog eens beter naar de man te kijken. Ze kan de flard van herkenning die zich nu sterker opdringt niet thuisbrengen, hij is wazig en ogenschijnlijk nergens op gebaseerd. Waarvan zou ze deze man moeten kennen? Ze doet een stap dichter naar het bed en probeert in gedachten het kale hoofd te tooien, met... licht... donker... blond... of rood haar?

Donker, denkt ze, en schrikt van de stelligheid van haar conclusie. Ze voelt hoe haar rustige ademhaling hapert en verstoord overgaat in een schokkerig tempo. Het weifelende gevoel dreigt concreet te worden. Hij had donker haar en zijn ogen zijn blauw, weet ze nu zeker, weet ze nu héél

19

zeker... Een huivering kruipt omhoog langs haar nek.

Ze spreekt zichzelf vermanend toe: onzin... onzin... verbeelding... Maar het gevoel van onheil dat door haar lijf jaagt, laat zich niet meer verdrijven.

Ze recht haar rug en loopt terug naar kantoor. Zijn dossier zal haar verlossen van dit idiote gevoel.

Haar uiterlijke zelfverzekerdheid kan niet voorkomen dat haar handen licht beven als ze zijn dossier openslaat.

M. Janssen staat er. Niet *T.* Janssen.

Even kan ze zich nog vastgrijpen aan het vlot van onwetendheid. Dan gaat de waarheid op haar vingers staan en moet ze haar reddingsboei loslaten. Er staat dan wel geen T maar een M, maar ze weet opeens dat het de M is van Mathieu, van de Mathieu die zij kende onder zijn roepnaam Thieu. Geboortejaar en geboorteplaats slaan haar laatste hoop hardhandig de bodem in.

Als gehypnotiseerd sluipt ze terug naar de kamer. Vanachter de halfgeopende deur loert ze naar de man in het bed. Zijn hoofd ligt nog even roerloos op het kussen maar zijn ogen zijn nu geopend en staren met een nietsziende blik naar het plafond. Blauwe ogen! Ze wist het! Ook toen ze zich nog verscholen achter zijn gesloten oogleden. De huid om haar hoofd spant zich in een pijnlijke kramp en scheurt haar ogen wijd open. Met benen die los van haar lichaam lijken te functioneren struikelt ze terug naar kantoor. Daar zakt haar verslapte lichaam op een stoel en verliest ze even haar bewustzijn.

'Lily, Lily, wat is er gebeurd, drink even een slokje...'

De koele rand van een glas dat tegen haar mond wordt aangedrukt, haalt haar terug.

Met alle kracht die ze nog kan verzamelen vlucht ze weg van de plek waar ze niet wilde zijn en spert ze haar ogen open.

'Goed zo, drink maar even door... moeten we Paul bellen dat die je komt ophalen?'

'Paul is niet thuis,' liegt ze snel. 'Waarom zou Paul me moeten ophalen? Waar zou ik naar toe moeten?'

'Naar huis natuurlijk.'

'Ik hoef niet naar huis, ik mankeer niets.' Ze probeert met stemverheffing haar verzet kracht bij te zetten.

'Rustig maar,' sust haar collega terwijl ze ondertussen vakkundig haar pols bevoelt.

'Je krijgt natuurlijk niet zomaar een flauwte.'

'Het zal de hitte wel zijn,' antwoordt ze nors.

'Het was in Italië toch zeker ook warm...?'

'Natuurlijk, maar niet zo benauwd als hier.' Haar belager zit weer op haar schouder te sarren.

Ze probeert op te staan maar voelt hoe wankel haar lichaam nog reageert. Ze wil weg, niet naar huis maar gewoon weg van hier. Ze moet een list verzinnen dat ze haar laten gaan. Ze wil via de achteruitgang, niet langs die kamer... niet langs die...

'Ik voel me weer oké maar ik zal netjes gehoorzamen en naar huis gaan, ben je dan tevreden?'

'Denk je echt dat je zelf kunt rijden, moeten we Paul niet even...?'

'Nee, nee echt niet.' Ze voelt dat haar stabiliteit terugkeert en maakt aanstalten om op te stappen.

'Ik laat je naar huis gaan als je me belooft dat je even langs je huisarts gaat en pas weer terugkomt als hij zegt dat het mag.'

'Dat beloof ik,' zegt ze terwijl ze probeert haar stem van een oprechte klank te voorzien.

Ze voelt haar lichaam inwendig nog natrillen als ze in de auto stapt. Ze start haperend de motor en probeert, omdat ze de spiedende ogen van haar collega's in haar rug weet, zo rustig mogelijk weg te rijden.

Niet naar huis, niet naar Paul. Paul die zelfs na al die jaren nog steeds attent en invoelend is en die beslist zal merken dat ze van streek is en die niet zal rusten voordat hij weet wat haar mankeert. Paul staat er op om problemen op te lossen, soms zelfs als daar geen behoefte aan is. Goed bedoeld maar nu in godsnaam niet. Naar Paul gaan betekent praten, en praten is nu juist het laatste dat ze wil.

Eenmaal uit het zicht drukt ze het gaspedaal stevig in, maar als het beeld van de kale man in het bed voor haar ogen verschijnt, stopt ze de auto aan de rand van het dorp. Het schitterend panorama dat de heuveltop haar biedt gaat nu volledig aan haar voorbij. Ze legt haar hoofd tegen de neksteun en staart naar de holle bovenkant van de auto.

Ze weet dat het geen zin heeft om er tegen te vechten. Ze kan haar geheugen niet verhinderen zich tegen haar wil te openen om de verbannen herinneringen vrije doorgang te verlenen. In de slag om zich als eerste aan te bieden buitelen de beelden over elkaar heen. Zij zal orde in die chaos moeten scheppen.

2

In 1948, wanneer Nederland langzaam uit de roes van de bevrijding van de Duitsers raakt, maar er aan de andere kant van de wereld nog Nederlandse jongens vechten voor koningin en vaderland, is Lily zeventien. Een bakvis met een quasi ongenaakbare houding die meer in haar directe omgeving is geïnteresseerd dan in het wereldgebeuren. Haar weerbarstig krullend haar baart haar meer zorgen.

Haar amberkleurige ogen kijken met een eigenwijze blik de wereld in terwijl een welwillende glimlach voortdurend op uitbreken lijkt te staan. Ondanks dat ze zelf ontevreden is over haar uiterlijk, ziet haar omgeving wel dat ze op weg is om een mooie vrouw te worden.

Vandaag voelt Lily zich *happy* want de zon schijnt uitbundig en er hangt een feestelijke sfeer in het dorp omdat een jongen heelhuids is teruggekomen uit Indonesië. Het hele dorp is uitgelopen. Het lijkt een beetje op het bevrijdingsfeest.

Kwebbelend staat ze samen met haar vriendinnen langs de zanderige weg te wachten op zijn komst. De trein die hem thuisbrengt is inmiddels gearriveerd. Vanaf het station zal hij worden ingehaald door de dorpsgemeenschap.

Vanuit de verte zien ze hem komen en horen ze al de feestelijke klanken van de fanfaremuziek die hem tot zijn ouderlijk huis zal begeleiden.

Dromerig staart Lily naar de door de zon beschenen stofdeeltjes die tussen de voeten van de muzikanten uit de mulle grond omhoog dwarrelen. Het is heet en het heeft al dagen niet meer geregend.

Wanneer de meisjes hem in het oog krijgen rekken zij hun halzen.

Hij is groot en opvallend knap.

De nonchalant scheef staande baret die zijn zwarte haar moet verbergen verhoogt zijn stoere uitstraling. Zijn fel blauwe ogen lijken door het contrast met zijn bruine huid op te lichten. Als hij hen passeert laat hij met een vage glimlach zijn bijna brutale blik lang op Lily rusten. Ze probeert haar ogen kuis te sluiten maar hij geeft haar daarvoor geen gelegenheid.

Nauwelijks merkbaar tuit hij sjansend zijn sensuele mond. Die brutale actie veroorzaakt een bliksemschicht bij heldere hemel, laat sterren uit de hemel vallen en vlinders onbesuisd door haar buik fladderen – alle clichés kunnen worden toegepast. Ze voelt haar knieën knikken onder druk van de verliefdheid die haar ter plekke overrompelt. Ze knijpt haar buurvrouw in haar arm maar voordat ze iets kan vragen (zij moet het toch ook hebben gezien!) springt die huppelend achter de fanfare aan. In staat van lichte verdwazing maakt ze zelf ook een dartel sprongetje.

Zijn huis is door de jonkheid versierd met vlaggen en slingers en boven de voordeur hangt een groot welkomstbord. Een amateurschilder heeft zijn best gedaan en er een boot en palmbomen op geschilderd. Familieleden lopen hem tegemoet, zijn moeder huilt en knuffelt, zijn vader slaat met een stoer gebaar zijn arm om de schouders. De jongen ondergaat het gelaten. Hij is moe van de lange reis. Hij verlangt er naar verlost te worden van de zware plunjezak en het uniform.

Ongemakkelijk blijft hij voor de laatste serenade samen met zijn ouders nog even in de deuropening staan. Lily dringt zich in een positie om gezien te worden. Voordat hij naar binnenstapt kijkt hij nog even over zijn schouder en vangt opnieuw haar blik. Zij weet het zeker! Hij keek speciaal naar haar. Hun oogcontact was echt geweest en zijn luchtkus alleen voor haar bedoeld.

Achter hem gaan nu ook familie en genodigden naar binnen. Zij wenste dat ze ook naar binnen mocht, maar ze is geen familie en ook niet uitgenodigd. Aan haar vader is door zijn functie van gemeentesecretaris wel de status van genodigde verleend. Door zijn ambt, daar is ze zich van bewust, behoort haar familie tot de hogere klasse in het dorp.

Ze blijven nog wat rondhangen bij het huis. Haar vriendinnen kwekken zo hard dat het bijna lijkt alsof zij ook zijn speciale aandacht hebben gehad. Ze moeten toch gezien hebben dat hij naar haar wel heel speciaal keek?

Terug op het dorpsplein zijn haar vriendinnen al weer druk bezig met het volgende feest dat eraan komt en dat sinds de bevrijding weer mag worden gevierd. Over een week komt de kermis.

Dat betekent dat op zondagsmorgen eerst de processie door het dorp trekt, daarna de kermis open gaat en dat er op maandag- en dinsdagavond gedanst wordt in de patronaatzaal. Tot het volgend jaar, wanneer ze achttien worden, blijft voor hen de dansvloer nog even verboden terrein. Toch is het ook voor de meiden een beetje feest want ze mogen wel buiten bij het danslokaal staan kijken en kunnen dan zo toch meegenieten van de muziek. Tussen het meezingen door roddelen ze er lustig op los en bespotten de serieuze dansparen geregeld.

Soms trekken de dansers dan plagerig de zaalgordijnen dicht maar als de meiden op hun beurt dan smekend op de ramen bonzen en beterschap beloven gaan die weer open.

Teruglopend naar huis vraagt ze zich af of hij ook zal gaan dansen, want hij is natuurlijk al lang achttien.

Bij het avondeten probeert ze zoveel mogelijk informatie los te peuteren van haar vader. Maar meer dan dat 'onze jongens' het zwaar hebben gehad en hoe lang de overtocht van Indonesië naar Rotterdam heeft geduurd en dat hij af en toe bijna in slaap leek te vallen, komt ze niet te weten.

's Nachts houdt zijn gezicht haar uit haar slaap. Koortsachtig probeert ze vast te stellen op welke filmster hij nu toch zoveel lijkt. De halve verliefdheden die ze tot nog toe voor sommige idolen koesterde, hevelt ze zonder schuldgevoel over naar hem. Voordat ze zich uiteindelijk overgeeft aan een onrustige slaap heeft ze zichzelf overtuigd, ze weet het zeker: hij heeft haar toegeknipoogd en die getuite lippen waren alleen voor haar bestemd. Haar vriendinnen willen dat niet gezien hebben, omdat ze gewoon jaloers zijn.

Hij is best brutaal. Hij is vast ook veel ouder dan zij. Even slaat de paniek toe. Misschien heeft hij wel al verkering? Maar dan had die hem toch zeker al op het perron staan op te wachten en vanmiddag aan zijn arm gehangen, stelt ze zich snel gerust.

Na een paar dagen slinkt de hoop dat ze hem ergens onverwacht tegen het lijf zal lopen steeds meer en wordt de verleiding om langs zijn huis te slenteren steeds sterker. Maar die aanvechting weerstaat ze. Bovendien is ze ervan overtuigd dat hij zondag zeker naar de kermis zal komen.

Aangezien ze te pas en te onpas die Indiëvaarder ter sprake brengt, bereiken haar wel berichten dat hij thuis best lastig is en dat zijn jongste zusje steeds aan haar moeder vraagt: 'Wanneer komt die *brave* Thieu nu naar huis?' Ook schijnt hij tot groot verdriet van zijn moeder over al zijn eten een plens maggi en zout te gooien. 's Nachts droomt ze dat hij haar al die wetenswaardigheden persoonlijk toevertrouwt.

Gelukkig zorgt de drukte in de week voor de processie voor genoeg afleiding. Er is in die week voor de jonkheid een hoop werk te doen. Bronkpalen moeten worden gepoetst, zand voor de loper gekleurd, rozetjes van crêpepapier gevouwen. Al dat werk wordt gedaan in een leegstaande schuur van de veiling en het is altijd een vrolijke bijeenkomst voor de jongelui. Ook haar stille wens dat hij daar misschien zal verschijnen gaat niet in vervulling.

Eindelijk is het dan zondag en wordt ze vroeg in de ochtend gewekt door de beierende kerkklokken. Meteen verschijnt hij prominent op haar netvlies en overvalt haar onmiddellijk de vraag: Zal ze hem vandaag eindelijk weer zien?

Nog half slapend richt ze haar blik op de witte jurk met blauwe sjerp die aan de kast hangt.

Ze was het bijna vergeten; ze moet zo meteen in de processie meelopen. In een witte jurk met blauwe sjerp een van de maagden van het maagdenkoor verbeelden die achter 'het Allerheiligste' Marialiederen lopen te zingen.

Omdat ze een mooie stem heeft werd ze drie jaar geleden geselecteerd voor het koor. Toen had ze zich nog vereerd gevoeld. Nu vindt ze dat opeens een belachelijk idee, haast gênant.

Ze weet ook dat de jongens na de processie aan de toog vaak dubbelzinnige opmerkingen maken over 'die maagden van het maagdenkoor'.

Ze laat de jurk over haar hoofd vallen en knoopt de sjerp zo verhullend mogelijk over haar borsten. Het kroontje zet ze, eigenlijk duwt ze het meer, met tegenzin tussen de weerbarstige krullen.

Tijdens het verzamelen van het koor op het kerkplein luistert ze verstrooid naar haar vriendinnen terwijl ze een nerveuze blik over de omstanders laat gaan. Tegen beter weten had ze gehoopt hem daar ergens tussen in te ontdekken.

Op een teken van de dirigent nemen ze hun plaatsen in.

Onder het felle zonlicht schrijden ze, hun blikken devoot gericht op de opgeheven monstrans voor hen, langs de randen van de loper. Alleen de priester mag zijn gewijde voeten op het bloementapijt zetten.

Hun gezang wordt begeleid door de klanken van de klepel die de 'oppermaagd' (het lievelingetje van de dirigent natuurlijk) voorzichtig tegen de koperen klok mag slaan.

Het is nog geen middag en toch staat de hitte al massief in het dorp.

Haar 'maagdenjurk' plakt onaangenaam aan haar lijf. Ze zingt zonder overtuiging.

Wanneer ze na de processie gehaast terug naar huis loopt ontheiligt ze de loper door er met een slepende voet een kale baan in te snijden en beslist ze ter plekke dat het de laatste keer is geweest dat ze dat stomme gewaad heeft aangetrokken.

Op de slaapkamer gooit ze het als een vod in de hoek en blijft in haar ondergoed voor de klerenkast staan: welke jurk zal ze aantrekken voor vanmiddag?

Veel keuze heeft ze niet. Het is de bloemetjesjurk met de ruches of de bloemetjesjurk met pofmouwtjes, allebei even kinderachtig. Ze haalt met ferme bewegingen de haarborstel door haar krullen en probeert die achter haar oren te pletten. Een exercitie die gedoemd is te mislukken. Haar spiegelbeeld blikt ontevreden terug.

Nu begint een lange tijd van wachten want ze mag pas na het middagmaal naar de kermis. En aangezien haar vader na de hoogmis nog wel eens een of meerdere borreltjes drinkt kan het nog wel even duren voordat er gegeten wordt.

Haar mopperende moeder die haar met zorg bereide maal ziet inzakken wordt dan getroost met een paar repen Kwatta-chocolade en de opmerking dat hij zeker nog later thuis zou zijn gekomen als hij in plaats van de chocolade de hem aangeboden borrels had geaccepteerd.

Eindelijk is het dan zover. Haar vriendinnen staan haar buiten op te wachten. Gearmd lopen ze naar het braakliggende terrein waar de vier kermisattracties staan. Grootmoedig gunnen ze de kleintjes hun carrousel, bootschommeltjes en trektouwtjeskraam, zolang er voor henzelf maar de botsautootjes over blijven.

Een zijdelingse blik op haar vriendinnen maakt dat ze zich wat onzeker begint te voelen. Ze zien er alle drie veel mooier uit dan zijzelf, vindt ze. Misschien vindt die Thieu haar wel niet de leukste.

'Ben benieuwd of die Thieu er ook is...' probeert ze zo nonchalant mogelijk te zeggen.

'Ik spring zo bij hem in het wagentje,' bluft een buurvrouw. 'Nee ik eerst' beslist de ander. Ze tetteren door elkaar heen. Alleen Mies die al een tijd met Fernand loopt zwijgt voornaam. 'Stelletje jongensgekken,' zegt ze minachtend als de meiden steeds opgewondener raken.

'Nee, dan jij met Fernand, op straat netjes naast elkaar lopen maar achter de bosjes stiekem zoenen,' antwoorden de meiden terug.

Het is nog rustig op de kermis, een paar opgeschoten jongens hangen tegen de pilaren van de botsautobaan. Lily ziet meteen dat hij daar niet bij staat. Pas als ze dichterbij komt ziet ze dat hij waaghalzerig achterop een botsauto staat en zich vasthoudt aan de stang die met stroom het plafond laat knetteren. Pas nadat de kermisbaas hem sommeert daar mee op te houden glijdt hij half in het wagentje en begint zwierend rondjes te draaien.

Lily voelt haar hart gealarmeerd overslaan. Zonder dat lelijke uniform is hij nog knapper! Het witte overhemd dat hij nu draagt geeft zijn zwarte haar en bruine huid nog meer glans. Meteen als hij de meiden in het oog krijgt stevent hij met volle vaart op de rand af. Zijn lichaam vliegt door de schok van voren naar achteren. Hij stapt uit, schiet een sigarettenpeuk weg en loopt naar de kassa om nieuwe munten te kopen. Tot grote hilariteit van de meiden maakt hij danspasjes op de schallende muziek.

'Wie gaat er mee?' Uitdagend slaat hij met de vlakke hand op de lege plek naast zich en de net nog zo zelfverzekerde meiden draaien zich giebelend om.

'Kom,' zegt Lily, 'we gaan zelf munten kopen.'

'Ik ga wel bij hem,' zegt haar buurvrouw inschikkelijk.

'Dat doe je niet, we gaan om de beurt en rijden hem van de sokken af.'

Terwijl zij gillend met schokkerige bewegingen over de platen van de rijvloer schuiven probeert hij hen kriskrassend telkens frontaal te raken.

Als na een tijdje hun muntjes op zijn gaan ze weer aan de kant staan kijken.

Hij rijdt tegen de band ter hoogte van Lily's voeten en zegt: 'Je durft niet he?'

Ze voelt hoe ze bloost onder zijn lokkende blik.

'Ik durf alles,' antwoordt ze uitdagend.

'Nou laat maar zien dan,' zegt hij en legt zijn arm uitnodigend op de rugleuning van de bijrijdersstoel.

Ze is niet lang bestand tegen deze verzoeking, en springt binnen de kortste tijd met veel bravoure naast hem, en als vanzelfsprekend glijdt zijn arm om haar heen.

'Ik hou je vast, dat je er niet uit valt.'

Ze probeert de boze blikken van haar vriendinnen te negeren en gebaart dat ze hen door de schallende muziek niet kan verstaan. Trouwens, Mies zit inmiddels al bij Fernand in de auto. 'Ik wil zelf ook eens sturen,' zegt ze als ze verlegen wordt onder de nu toch wel heel stevige druk van zijn arm. Met een galant gebaar maakt hij plaats voor haar.

Het lukt haar zonder veel botsingen de auto tussen de andere door te manoeuvreren.

'Als je even goed kan dansen als sturen dan zit het met jou wel goed,' zegt hij goedkeurend. 'Ik heb weleens achter het stuur van een echte auto mogen zitten,' pocht ze terwijl ze zich tegelijkertijd afvraagt waarom ze nu toch zo'n kinderachtige opmerking moet maken.

'Nou, nou goed van jou. Kom je morgen met me dansen?'

'Nee.'

'Waarom niet?'

'Daarom niet.'

'Ik kan echt goed dansen hoor!'

Ze voelt zijn lippen tegen haar oorschelp. Ze rilt.

'Ik ook hoor,' antwoordt ze met dikke stem.

'Nou dan gaan we dat morgen toch eens samen proberen.'

'Ik mag dit jaar nog niet,' schreeuwt ze. Ze schaamt zich dood.

Het is inmiddels druk geworden en iedereen zoekt nog een lege auto. Voordat iemand anders zich hun auto kan toe-eigenen stopt hij er weer snel een muntje in.

Voorzichtig rijdt zij rond, en als ze toch geraakt dreigen te worden, geeft hij een ruk aan het stuur. Het is duidelijk dat hij niet gestoord wenst te worden.

'Waarom zou jij niet mogen komen dansen? Je houdt me voor de gek. Beloof me dat je morgen komt.' Ze doet alsof ze hem niet verstaat en zwaait overdreven vriendelijk naar een buurjongen die aan de kant staat. De looptijd van de auto-tjes lijkt steeds korter te worden. Als ze uiteindelijk aan de rand tot stilstand komen, houdt hij haar arm stevig vast en dringt hij nog eens aan: 'Ik laat je pas gaan als je belooft dat je morgen naar de danszaal komt. Of loop je al met iemand?'

Ze rukt zich los, springt op de kant en antwoordt met een plagende lach – in de hoop dat hij ook uit de auto stapt en naast haar komt staan – 'Ik versta je niet.'

'Hoi Thieu,' schreeuwt naast haar een opgeschoten jongen. 'Heb je die ploppers daar een lesje geleerd? Hoeveel heb je er opgeruimd?'

Lily ziet zijn gezicht verstenen alsof het in een vacuüm van kilte wordt gezogen. Zijn bruine huid lijkt op slag grauw te worden. Zonder iets te zeggen stapt hij op de kant, pakt met één greep de twee gesteven punten van de witte jongenskraag beet en sist in het naar lucht snakkend gezicht: 'Ga jij met je grote bek zelf ploppers opruimen.' Vervolgens gooit hij de jongen met een wegwerpgebaar van zich af en loopt met grote stappen het terrein af.

Lily blijft verbijsterd staan. Wezenloos staart ze hem na. Ze weet niet wat ze erger vindt, zijn gedaanteverwisseling of dat hij verdwijnt zonder haar nog een blik waardig te gunnen. Na een tijdje loopt ze terug naar haar vriendinnen, mompelt dat ze misselijk is geworden in die botsauto en dat ze naar huis gaat.

'O ja, wie gelooft wordt zalig! Apart weggaan en dan samenkomen bij het heipaadje, denk je dat wij dom zijn?' vragen ze honend.

Ze antwoordt niet omdat ze zich betrapt voelt, blijkbaar was dat ook haar heimelijke wens. Thuis gaat het leugentje haar zo makkelijk af dat haar moeder meelevend een warme kruik maakt. Een warme kruik: een zachte pijnstiller maar een schrale troost voor zielenpijn.

Voordat ze haar slaapkamer opzoekt vraagt ze aan haar vader: 'Wat zijn ploppers?'

Vader antwoordt kortaf: dat het een scheldwoord voor bepaalde Indonesiërs is en dat ze daar verder geen vragen meer over moet stellen.

Dat wil ze ook niet, ze wil geen vragen meer stellen. Ze wil met helemaal niemand meer praten, ze wil op haar bed gaan liggen mijmeren. Ze wil de momenten terughalen waarin ze dacht in zijn ogen ook verliefdheid te zien doorschemeren.

Even flitst zijn andere gezicht nog voorbij maar dat laat ze zo snel mogelijk verdwijnen.

De boosheid van haar vriendinnen is de volgende dag onder druk van hun nieuwsgierigheid weer snel verdwenen.

'Waar zijn jullie geweest?'

'Nergens.'

'Doe nou niet zo flauw, vertel waar jullie geweest zijn en
vooral wat jullie hebben gedaan,' dringen ze aan.

'Hij wilde met me gaan lopen en ik wilde op de kermis
blijven, toen werd hij boos en is weggegaan.'

'Goed van jou om hem niet meteen zijn zin te geven, laat
hem maar achter jou aan lopen, hij zat trouwens met mij
ook te sjansen hoor, die denkt natuurlijk dat hij maar met
zijn vingers hoeft te knippen.'

Lily zwijgt omdat ze zich niet verder in de leugen wil ver-
strikken. De kermis heeft ineens zijn aantrekkingskracht
verloren.

'We zullen straks wel eens zien of hij zo goed kan dansen,'
zegt ze na een tijdje.

Een paar uur later staan haar vriendinnen haar al op te
wachten bij de danszaal. Luidruchtig gebarend met hun
neuzen tegen de ramen gedrukt.

'Hij danst de hele tijd met Marianne.'

Ze kennen het patroon en trekken snel hun conclusie:
'Die gaat beslist wel met hem wandelen hoor, eerst zogenaamd een luchtje scheppen en dan het heipad op.'

Een scheut jaloezie giet zijn venijn naar binnen en bezorgt haar een droge keel.

Ze vindt dat hij zijn danspartner wel heel stevig vast heeft.
Ze moet de neiging onderdrukken om niet op het raam te

tikken om daarmee verongelijkt de aandacht op te eisen van de kapelaan die daar zit om er toezicht op te houden dat de paren genoeg afstand bewaren. Hij zit daar toch niet voor niets. Maar de kapelaan heeft blijkbaar meer aandacht voor zijn borrel.

Ze probeert in het raam haar spiegelbeeld te vangen. Met behulp van een grote speld is het nu toch redelijk gelukt die kinderachtige krullen naar achteren te duwen. En nu ze in plaats van die onnozele jurk haar witte blouse met blauwe rok heeft aangetrokken en onderweg die stomme witte sokjes heeft uitgetrokken vindt ze dat ze er een stuk volwassener uitziet.

Vanwege de hitte zijn de ramen opengeklapt en kunnen de meiden maximaal van de muziek meegenieten. Af en toe pakken ze elkaar vast en dansen hun eigen rondje maar de knerpende kiezelsteentjes onder hun voeten zorgen dat het niet echt vlammend wordt.

Ondanks het hinderlijke gevoel van jaloezie lukt het haar niet hem te negeren. Het is dat opgewonden gevoel van verliefdheid dat haar dwingt telkens weer naar hem kijken.

Hij valt op een plezierige manier uit de toon tussen zijn stijf geklede soortgenoten die wiskundig hun danspasjes invullen, terwijl hij nonchalant zijn partner losjes over de dansvloer voert. Zijn stropdas zit niet strak tegen zijn keel gedrukt maar bungelt ergens onder zijn adamsappel.

Op het moment dat hij zich met een zwierige zwaai in haar gezichtsveld danst wordt ze weer week. Hij lacht weer zijn scheve lach, het wezenloze gezicht van gisteren is alweer vergeten. Het kan niet anders dan dat hij haar al de hele tijd in het oog heeft gehad.

Zonder rekening te houden met zijn danspartner blijft hij nadrukkelijk voor het raam dansen terwijl hij achter haar rug brutaal naar haar zwaait.

Ze voelt zich gevleid en vindt het fijn dat haar vriendinnen nu zelf kunnen zien dat hij echt in haar geïnteresseerd is.

'Die gaat vast niet met die Marianne wandelen, of denk je wel? Met wie denk jij dat hij gaat lopen...?' wordt er naast haar sarrend gevraagd. Ze weet niet wat ze moet zeggen, bang dat ze door te antwoorden zal verraden hoe ze verlangt naar dit avontuur.

Plotseling mist ze hem op de dansvloer. Een moment is ze bang dat hij, zoals de vorige keer, weer even onverwacht is vertrokken.

Pas als haar vriendinnen elkaar aanstoten ontdekt ze dat hij achter haar staat. Flesje bier in de hand, sigaret losjes in de mondhoek.

Met een aan brutaliteit grenzende vanzelfsprekendheid slaat hij zijn arm om haar middel. Enkel voor de vorm doet ze een stap opzij. Hij reikt haar het flesje bier aan. 'Ook een slokje?'

Ze neemt het flesje aan, giet stoer een flinke scheut naar binnen en probeert haar weerzin te verbergen. Het enige dat ze wel eens drinkt is een glaasje bessenlikeur, bier vindt ze eigenlijk vies. Ze ruikt dat hij beslist meer dan een flesje heeft gedronken.

Even staan ze nog plagend wat kiezelsteentjes naar elkaar te schoppen. Dan draait hij zich om en wenkt haar mee te komen. Na nauwelijks een moment van aarzeling loopt ze als vanzelfsprekend achter hem aan. Op straat blijven ze achter elkaar lopen. Ze weten dat op de dansavond achter de gesloten gordijnen menig kletsmajoor de wacht houdt om de stelletjes met stoute plannen te betrappen.

Bij de vorige dansavond had zo'n kletsmadam nog aan de moeder van Mies verteld dat die met Fernand was gaan lopen.

Zonder veel te zeggen gaan ze eenmaal buiten het dorp naast elkaar lopen. Hij schijnt zijn branie een beetje te zijn kwijtgeraakt. Bang dat haar stem te schor zal klinken durft Lily ook niets te vragen. Eigenlijk had zij van alles willen weten over Indonesië, maar bang dat ze misschien de verkeerde vragen zal stellen houdt ze wijselijk haar mond. Tot haar verrassing loopt hij niet zoals ze had verwacht richting heipad. Met haar laatste vriendje heeft ze wel eens gezoend op een afgelegen plek in de buurt van de vijver, misschien gaan ze daar naar toe. Aan dat kussen met eerdere vriendjes was tot nu toe nog veel gestuntel te pas gekomen. Er werd stilletjes wat afgelachen als de vriendinnen onder elkaar hun pre-erotische ervaringen vergeleken. Voor Lily staat het vast: deze keer zal een andere sensatie zijn. Dat weet ze omdat ze zich al in zijn armen heeft gedroomd.

De schemering is inmiddels ingevallen. Haar zachte licht kleurt de aarde. Af en toe slaat Thieu een arm om haar heen maar als ze in de verte een fietser zien komen gaat hij weer keurig op afstand naast haar lopen.

'Waar gaan we naar toe?' vraagt ze zo onverschillig moge-lijk.

'Naar een plek waar niemand ons kan vinden,' antwoordt hij op samenzweerderige toon.

Ze probeert niet te denken aan de straf, zeker twee maan-den huisarrest, die haar wacht als dit uitkomt. Ze weet in-middels welke afgelegen plek hij bedoelt.

Ze heeft het warm en wordt nu toch wel erg zenuwachtig. Ze wenst dat de bloemetjesgeur die ze heeft op gespoten de sporen van haar nervositeit zal camoufleren.

Ze hoopt dat die speld in haar haar nog steeds goed zit.

Eenmaal van het veldpad af, slaat hij resoluut een arm om haar heen, trekt haar tegen zich aan en kust haar vol op de mond. Voor de vorm stribbelt ze nog even tegen maar als hij haar nog vaster tegen zich aantrekt en vraagt: 'Krijg ik geen kus terug?' voldoet ze gretig aan zijn wens. Ze wordt week als ze de kracht van zijn arm rond haar taille voelt.

Verstrengeld lopen ze nu verder en klimmen door het struikgewas omhoog tot boven op het talud. Daar zijn ze inderdaad alleen op de wereld. Hij laat zijn jasje losjes van zijn schouder op een egaal stukje gras glijden en gaat zitten.

'Kom,' zegt hij als ze aarzelend blijft staan, en spreidt zijn armen.

De boze stem van haar moeder, die nog probeert haar te beletten om aan zijn verzoek te voldoen, duikt even op maar wordt weer even zo snel verjaagd door haar verwachtings-volle hunkering. Bovendien voelt het ongemakkelijk om zo staand boven hem uit te torenen. Met opgetrokken knieën gaat ze zich naast hem zitten. Ze kijkt naar haar enkels en hoopt dat hij niet ziet dat het bruin van haar benen eindigt bij de witte grens die het dragen van sokjes verraadt. Maar hij heeft daar geen oog voor, hij duwt zijn gezicht in haar krullen en fluistert: 'Je ruikt ook zo lekker.'

Lily hoort dat zijn stem schor, en het compliment bijna als een verwijt klinkt. Dat vindt ze wel grappig. Voorzichtig streelt ze de gebleekte haartjes op zijn bruine armen.

'Jij ruikt naar sigaretten en bier,' zegt ze brutaal en vindt zichzelf heel volwassen klinken. 'Drinken ze in Indonesië ook bier?'

Ze kan zich wel voor haar hoofd slaan als ze zijn gezicht ziet verstrakken, waarom moet ze nu weer zo onnozel doen!

'Kom, geef me een kus,' gebiedt hij.

Meegaand helt ze naar hem toe en drukt een voorzichtige kus op zijn mond. Dan neemt hij het initiatief en laat zijn tong spelend naar binnen glijden. Ze voelt haar lichaam genotvol reageren. Dit keer geen gehaspel maar een hemels genot. Zelfs de dranksmaak kan dat niet bederven. Zo is ze nooit eerder gekust! Terwijl het tegelijkertijd zo vanzelfsprekend lijkt. Hoe langer de kussen duren hoe heftiger zij reageert. Gulzig biedt ze haar mond weer aan als hij even achterover leunt.

Wanneer hij onverhoeds zijn hand, die losjes op haar schouder ligt, de opening van haar blouse in laat glijden probeert ze die nog zonder overtuiging weg te duwen. Hij reageert daarop door haar borst stevig vast te pakken. Ze beeft, haar harde tepel lijkt strak naar zijn hand te reiken. Haar blouse heeft nog maar de houvast van één knoop.

Ze weet niet of ze dat nog prettig vindt maar in de ban van haar opgewondenheid kunnen zelfs hel en verdoemenis haar niet ontnuchteren en laat ze hem even begaan.

Pas als hij zijn andere hand in haar vochtige slip probeert te stoppen duwt ze hem weg omdat ze dat te ver vindt gaan, maar vooral ook omdat ze zich schaamt voor dat bewijs van haar geilheid.

Plotseling lijken zijn handen zich tegelijkertijd op alle plekken van haar lichaam te bevinden.

Op het moment dat hij met een bruuske beweging de bh-bandjes omlaag trekt en zijn hoofd tegen haar borsten drukt, kantelt het gevoel van gelukzaligheid. Ze verstijft en weert hem af. De schrik slaat in alle hevigheid toe als ze merkt dat haar weerstand hem blijkbaar totaal ontgaat. Zijn mond heeft zich nu als een zuignap in haar hals vastgezogen.

Wanneer ze hem met kracht van zich af probeert te duwen sluiten zijn armen zich als twee tangen om haar middel en drukt hij zijn lendenen zo hard tegen haar bekken dat ze achterovervalt. De paniek verlamt haar als hij hees fluistert: 'Je wilt toch ook graag, je vindt het toch ook lekker, daarom ben je toch meegekomen?'

Nog meer dan van zijn woorden huivert ze van zijn grauwende stem die, beseft ze nu, dronken klinkt.

Als hij zich bovenop haar laat vallen, met een ruk haar broek omlaag trekt en tegelijkertijd met zijn knieën haar benen spreidt, beneemt haar hart, dat radeloos tot in haar keel omhoog springt, haar de adem en verliest ze haar stem. Ze weet nu wat zijn bedoeling is, ze weet wat er gaat gebeuren. Wanhopig schudt ze haar hoofd heftig van rechts naar links. Walgend probeert ze de dranklucht, die ze net nog stoer en mannelijk vond, te ontwijken. Hij snuift door zijn neus als een briesend beest, ze verliest alle kracht als ze beseft dat dit beest niet meer te temmen is. Verdoofd ondergaat ze de pijn als hij snel en hard naar binnen stoot.

De wereld om haar heen lijkt te zijn verdwenen als hij weer even zo snel van haar af rolt.

Het zwerk dat net nog zijn verleidelijke schemerlicht liet schijnen valt nu als een zwarte doek over haar heen.

Hij staat op wankele benen boven haar zijn gulp dicht te knopen. Met alle energie die ze nog over heeft rolt ze haar lichaam opzij als hij weer naast haar neer ploft.

'Dat had je me moeten vertellen...,' hoort ze hem mompelen.

Roerloos blijft ze liggen.

'Ik kon toch niet weten dat je nog maagd was, je was er toch ook niet vies van.'

Ze wil dat hij weggaat, dan kan ze van het talud af rollen het water in, om nooit meer boven te komen. Ze wil verdwijnen.

Ze deinst achteruit en weert vol afschuw zijn hand af die hij haar wil toesteken. 'Kom we gaan terug. Stel je niet aan.'

Pas als na een tijd de schaamte die zwaar haar lichaam in daalde, voorzichtig plaats maakt voor woede vindt ze de kracht om op te staan.

Bevend veegt ze het vuil weg dat aan de binnenkant van haar dijbeen kleeft. Ze hervindt haar stem in een oerkreet als hij opnieuw mompelt: 'Kom, we gaan terug.'

'Maak dat je wegkomt!!' krijst ze.

Ze is machteloos maar niet bang. Ze weet dat hij haar niets zal doen. Hij wilde maar een ding en dat heeft hij zich met geweld verschaft en nu durft hij ook nog de verongelijkte uit te hangen omdat ze niet heeft meegewerkt!

Zij, die dacht de uitverkorene te zijn, was niet meer geweest dan een makkelijke prooi! Zij die zich zo bijzonder voelde omdat ze dacht dat hij haar had uitgekozen, was niet meer geweest dan een gebruiksvoorwerp. Voor hem viel zij gewoon onder de afdeling 'makkelijk te krijgen'. Het soort meisjes waar jongens dubieuze grappen over maken.

De schaamte is bijna ondraaglijk. Hoe heeft ze zichzelf zo voor de gek kunnen houden? Hoe heeft ze zich zo kunnen laten gaan? Zich verongelijkt afvragend waarom ze niet meekomt loopt hij waggelend van haar weg. Pas wanneer hij helemaal uit haar zicht verdwenen is staat ze rillend op en begint strompelend te lopen. Ze wil voor eeuwig blijven lopen, ze wil van deze wereld af lopen.

Wat moet ze haar vriendinnen vertellen? Wat moet ze thuis zeggen? Want natuurlijk zal haar moeder haar ongerust staan op te wachten en als de ongerustheid is verdwenen zal ze boos worden en sancties opleggen. Straf voor ongehoorzaam gedrag. Maar hoe zal zij deze waarheid ondergaan, hoe zal ze haar deze waarheid kunnen vertellen?

De schaamte snijdt en schuurt. Zij is erger dan de pijn van de roof.

Hoe kon haar dit overkomen? Wat is er gebeurd? Waardoor heeft hij kunnen denken dat zij dit wilde? Had ze alarmbellen gemist? Wat heeft ze fout gedaan?? Als ze beseft dat ze met het vragen stellen ook haar eigen gedrag onderzoekt wordt ze woedend. Geen moment mag ze de schuld bij zichzelf zoeken. Hij heeft haar aangerand en verkracht! Wraakzucht vult haar hele wezen en houdt haar staande.

Zij zal hem laten boeten, vergelding is het enige antwoord op haar pijn. Hoe dichter ze bij huis komt hoe zekerder ze wordt: ze gaat naar de politie, hij moet worden opgesloten.

3

Later heeft ze zich nog vaak afgevraagd hoe ze uiteindelijk thuis is gekomen. Ze heeft nog wel eens geprobeerd die weg opnieuw te gaan maar dat is haar nooit helemaal gelukt. Er zijn stukken verdwenen.

Wat wel voor altijd in haar geheugen is gekrast, is de ontzetting op het gezicht van haar moeder. Verbijstering, ongeloof, teleurstelling, woede; een verzameling aan emoties had zich afwisselend meester gemaakt van moeders gelaat. Zij had die liever niet willen zien. Zij had het liefst haar gezicht in moeders hals willen verbergen om getroost te worden.

Maar moeder is zelf te ontdaan. Ze kan het niet begrijpen, ze wil het niet begrijpen. Ze blijft haar wanhopig zwijgend aanstaren totdat ze uiteindelijk met verslagen stem zegt: 'We moeten naar vader.'

Erger kan de schaamte niet worden, zij, nog altijd papa's kleine meid, moet gaan vertellen... 'Ik wil naar de politie, ze moeten hem vastzetten,' huilt ze. Maar moeder leidt haar zachtjes naar de rookkamer.

Vader die, een halve sigaar nog nasmeulend in de asbak, knikkebollend de krant leest, kijkt even verstoord op.

De hoop dat moeder zal beginnen met spreken vervliegt

als die haar nog totaal vertwijfeld aankijkt.

Hortend en stotend doet ze haar verhaal. Langzaam maar zeker dringt de pijnlijke waarheid tot vader door. Zijn gezicht wordt steeds strakker en witter. Met een onbeheerste beweging springt hij op uit zijn fauteuil.

'Die smeerlap, daar zal hij voor boeten!' schreeuwt hij. 'Ik zal dat mannetje godverdomme leren met zijn vuile poten van mijn dochter af te blijven!'

Haar vader de wellevende man, die in tegenstelling tot haar moeder nauwelijks uit zijn evenwicht is te brengen, vloekt nu als de eerste de beste mijnwerker. Haar vader die altijd soeverein en evenwichtig is, schreeuwt nu met een van pijn geladen stem: 'Hoe is dat gebeurd? Waar is dat gebeurd?'

'Bij het talud,' antwoordt ze met een blikken stem.

'Bij het talud? Hoe heeft hij jou daar naar toe gekregen? Gesleurd?'

Ze wenst dat moeder die naast haar staat een arm om haar heen legt maar moeder kijkt nog steeds geschokt naar haar vader.

'Ik ben met hem mee gegaan.'

'Waarom?' Zijn stem is doordrenkt van ongeloof. Hij vraagt nu niet meer maar schreeuwt haar toe: 'Wat dacht je dat hij daar met je zou gaan doen? Bloemetjes plukken?'

De beschuldigende ondertoon maakt haar opstandig.

'Zoenen,' antwoordt ze verongelijkt.

Zijn vlakke hand scheert langs haar gezicht.

'Jij onnozel schaap! Zoenen, zoenen wat denk je wat die in Indonesië heeft gedaan? Bloemetjes plukken en zoenen?'

Zijn stem krimpt tot een hees gefluister. 'Die kerels die daar zijn geweest zijn allemaal van God los! Wat denk je hoe graag die meiden daar met onze jongens...'

Onze jongens! Het lijkt wel alsof hij in bescherming wordt genomen. Ze voelt haar woede weer opstomen, tegelijkertijd wil ze huilen, huilen totdat er geen tranen meer zijn, ze wil getroost worden, verlost van de schaamte.

De wraakgodin roept om vergelding, hem straffen zou iets van haar pijn kunnen verzachten. 'Ik ga naar de politie, ze moeten hem vastzetten.' Het huilen is een wanhopig janken geworden.

'Rustig nu maar, rustig nu maar.' Moeders stem klinkt nog steeds aangedaan en haar ogen vullen zich met steeds meer tranen. Bezorgd slaat ze een arm om haar heen en probeert haar te troosten: 'Kom, ga even baden en daarna slapen, morgenvroeg praten we verder. Vader en ik zullen vanavond bespreken wat er moet gebeuren.'

Haar vader zinkt terug in zijn fauteuil. 'Denk je dat de politie nog iets ongedaan kan maken?' vraagt hij met matte stem.

'Ik wil naar de politie.'

'Dat is goed, maar nu eerst ga je rusten,' probeert moeder haar te overtuigen. 'Morgenvroeg beslissen we wat er gaat gebeuren.'

Lily wil weg, weg bij haar getergde vader, weg uit de kamer die zich tot in de kleinste naden gevuld heeft met de pijn van hun teleurstelling. Ze wil terug naar die zonovergoten zondag om daar te beslissen hem geen blik waardig te gunnen.

Ze blijft in bad zitten totdat het water aanvoelt als ijs. Bevend kruipt ze in bed en beschermt in foetushouding haar geschonden lichaam.

Moeder komt op haar bedrand zitten, legt troostend een hand op haar hoofd en schuift zacht een warme kruik tegen haar buik.

Voordat ze weer weggaat fluistert ze: 'Je moet er nog maar met niemand over praten wat je gedaan hebt.'

'Moeder, er is mij iets overkomen, ik heb niets gedaan,' antwoordt ze met vermoeide stem.

'Ja, ja dat weten wij wel maar er was niemand bij, het is jouw woord tegen het zijne.'

'Dan wil ik nu naar de politie!'

'Probeer nu maar eerst te slapen,' sust moeder. 'Ik blijf bij je.'

Berustend legt Lily haar hoofd weer neer. Af en toe zakt ze even weg en telkens als ze weer opschrikt, voelt ze de veilige aanwezigheid van haar moeder. In haar nachtmerries strompelt ze niet naar huis maar holt ze hijgend van hem vandaan, zonder van haar plek te komen. In een andere droom danst ze uitgelaten met hem en kijkt uitdagend naar haar vriendinnen die hem ook begeren. Pas wanneer de kapelaan haar scheldend naar de kant haalt merkt ze dat ze danst met haar onderbroek op haar schoenen.

Uitgeput en verlangend naar de genadige slaap is het haar gelukt om tegen de morgen in een lichte verdoving te raken. Ze wordt gewekt door een snik die ontsnapt uit haar borst. Een kortstondig verblijf in het land van vergetelheid, meer is haar niet gegund.

Als ze merkt dat de deur zachtjes open gaat probeert ze zich nog even slapend te houden. Het liefst zou ze een gat in de matras maken en daarin verdwijnen om te vluchten naar een ongeschonden wereld. Moeder neemt haar plaats op het bed weer in.

'Gaat het weer een beetje?'

Ze wil haar moeder niet teleurstellen en antwoordt benepen: 'Een beetje...'

'Sta dan op, kleed je aan en kom naar beneden; beneden wacht iemand op je die misschien kan helpen.'

'Helpen? Waarmee?'

'Met de beslissing die je moet nemen.'

'Moeder ik heb allang beslist: ik ga naar de politie.'

'Kleed je nu maar eerst aan.'

Met tegenzin trekt ze haar kleren aan en stapt even later vol argwaan de huiskamer binnen.

Aan het hoofd van de tafel, op papa's plaats, zit de politiecommandant. Even koestert ze de illusie dat die naar haar toe is gekomen om proces-verbaal op te maken zodat zij niet naar het politiebureau hoeft te gaan.

Maar al bij de tweede vraag, 'Dus je bent geheel vrijwillig met hem mee gegaan?' begrijpt ze dat *zij* aan een verhoor wordt onderworpen.

'Wat heeft dat er mee te maken? Ben ik dan soms minder verkracht?' sneert ze.

'Rustig maar, zo bedoelt meneer het niet,' zegt moeder en legt haar handen op haar schouders. Lily schudt de handen van zich af, ze voelt zich plotseling ongewoon sterk, ze is niet langer dat onnozele wicht, geen kind meer. Gisteren is ze volwassen geworden.

Ze blijft rustig zitten en kijkt de rechercheur afwachtend aan.

'Het bewijs moet wel nog worden geleverd...' Hij denkt hardop alsof hij zichzelf daarvan moet overtuigen, ondertussen neemt hij haar met een sluwe blik taxerend op.

'In Indonesië mocht natuurlijk alles wat God verboden heeft,' zegt haar vader voor zich uit.

'Ik dacht toch dat God verkrachten overal verboden heeft, maar wat heeft Indonesië met mij te maken?' vraagt ze.

'Misschien meer dan je denkt,' antwoordt de politieman. 'Sommige ouders hebben hun zonen die terugkwamen uit de oorlog compleet zien veranderen, waren zij vroeger stil en bedeesd dan zijn ze nu vaak heel uitbundig. Anderen die vroeger onstuimig waren werden stil en teruggetrokken. Maar ze zijn natuurlijk blij dat hun dappere helden überhaupt terug zijn gekomen. Ik heb het verdriet van de ouders gezien waarvan de zonen zijn gesneuveld. Die pijn gaat nooit meer over.'

Lily begrijpt zijn bedoeling, zij moet zich natuurlijk goed realiseren dat iedereen blij is dat hij terug is. Was hij maar gesneuveld, denkt ze zonder schaamte. Dan schaamt ze zich toch, maar meer om de manier waarop ze meegaat in de gedachte dat de loop der dingen door het lot wordt bepaald. Hij is teruggekomen, en heeft haar bewust verleid met maar één doel.

'U schrijft niets op, moet ik toch naar het bureau komen?'

'Nee, ik ga eerst eens met die jongeman spreken.'

'Met die verkrachter bedoelt u,' ze voelt dat de machteloosheid haar stem weer doet slinken.

Waarom zeggen vader en moeder niets, waarom dringen zij er niet ook op aan dat hij proces-verbaal moet opmaken. Wat moet hij daar vragen, het ligt toch voor de hand dat hij niet zal zeggen: 'Ik heb haar verkracht, in Indonesië mocht dat, waarom hier niet?'

'Hij heeft het recht zijn verhaal te vertellen,' zegt de politieman gedecideerd.

'Er is maar één verhaal!' roept ze nijdig uit. 'Waarom doen jullie niet wat ik zeg?'

'We moeten doen wat het verstandigste is,' zucht moeder.

'Ik zal er persoonlijk voor zorgen dat die vent zijn straf krijgt,' belooft vader.

Waarom overtuigen zijn woorden haar niet, waarom gelooft ze hem niet?

Als vader hem uitlaat en zij wantrouwig achter de deur blijft staan hoort ze de politieman zeggen: 'Het blijft natuurlijk een gevoelige kwestie om iemand die voor zijn land gevochten heeft nu te arresteren.'

'Het is een bandiet en die verdient straf en ik verwacht...'

De tochtdeur slokt vaders laatste woorden op.

Haar moeder reikt haar een bord boterhammen en een glas melk aan.

'Ik hoef niet te eten,' zegt ze, en schuift het gezellig opgemaakte bordje ruw opzij.

'Toe, eet nu je brood, je moet weer opknappen.'

'Ik ben niet ziek.'

'Natuurlijk niet maar als je niet eet word je dat wel.'

'We moeten doen wat het beste is,' overdenkt moeder weer hardop.

'Die krijgt heus zijn straf wel,' zegt vader beslist.

'We hebben gisteravond even met heeroom gesproken, hij vond ook...'

Ze valt haar moeder woedend in de rede: 'Heeroom. Wat heeft die hiermee te maken? Die betweter!'

'Een beetje respect graag.' Moeders stem krijgt even weer die beleefde vermanende toon .

Ze haat heeroom, de broer van moeder, die al zolang zij zich kan herinneren het beleid van hun gezin heeft meebepaald. Dat zij naar de MULO werd gestuurd terwijl haar grootste wens was om naar de meisjes-HBS te gaan had ze aan hém te danken.

Zelfs vader die zich toen tegen de paapse argumenten dat meisjes moeten worden opgeleid voor het huwelijk en het moederschap, probeerde te verzetten ('Lily is echt heel slim') had zich uiteindelijk gewonnen moeten geven. Zijn gezagsgetrouwheid maakte hem tot een meeloper. En nu bemoeide die paap zich weer met haar.

'Die heeft vast en zeker gezegd dat *ik* moet gaan biechten,' smaalt ze, en voelt alweer de weerzin als ze denkt aan de muffe geur die vanachter zo'n getralied venstertje opstijgt.

'Heus niet, hij zal voor je bidden. Wel heeft hij aangegeven er nog eens goed over na te denken. Want de kans dat er een schandaal van komt is groot en dat zal zeker ook jou treffen.'

'Misschien heeft moeder daar wel gelijk in, misschien is er een andere manier om hem aan te pakken.'

'Vader, het is niet moeders mening maar die van onze eerwaarde, hooggeboren heeroom.'

Ze kijkt haar moeder woedend aan. 'Heeft hij niet gezegd dat we het met de mantel der liefde moeten bedekken? Wat hij natuurlijk echt bedoelt is dat we het onder het tapijt moeten vegen. Daar hebben zij al eeuwenlang ervaring mee. Ik haat hem,' huilt ze en vlucht naar haar slaapkamer.

'Laat me je toch helpen,' smeekt moeder. 'We willen alleen maar het beste voor jou.'

Ze antwoordt niet en houdt haar gezicht nukkig in het kussen gedrukt.

'Er is trouwens nog iets waar je over na moet denken.' De serieuze toon van moeders stem doet haar wantrouwend opkijken.

'Waar moet ik over nadenken?'

'Je zegt dat je verkracht bent, echt verkracht dus... niet aangerand.'

'Moeder ik ben verkracht, ik ben geen maagd meer.'

'Ja, ja ik begrijp het,' verzucht moeder die beseft dat de laatste strohalm haar wordt ontnomen.

'Dus...' zegt ze na een lange stilte, 'dan kun je misschien ook zwanger zijn.'

'Nee, natuurlijk niet.' Haar stellige overtuiging verdwijnt snel als ze beseft dat ze moeders retorisch vraag, 'Waarom niet?' niet meteen kan beantwoorden.

Waarom niet..., waarom niet... ze denkt aan het kleverige spul dat, hoewel het uit haar liep, tegelijkertijd voelde alsof het haar hele lichaam besmeurde. Ook al worden in de bekrompen sfeer van het dorp de dingen nooit bij naam genoemd, zij en haar vriendinnen zijn heus niet van gisteren. Zij weet dat het zijn sperma was. En ze weet ook dat maar één spermatozoïde al voor bevruchting kan zorgen.

Daarom wordt er met hel en verdoemenis gedreigd als mannen dat kostbare spul door masturberen verloren laten gaan, omdat ieder afzonderlijk spurtend kikkervisje voor nieuw leven zou kunnen zorgen. Het kerkelijk adagium: Ga en vermeerder u!

Over wat er verloren gaat bij meisjes die zichzelf genotvol strelen wordt niet gesproken. Meisjes doen dat niet.

'Ik ben niet zwanger.' Ze probeert met haar zelfverzekerdheid ook zichzelf te overtuigen.

'Nee, het zal ook wel niet,' antwoordt moeder hoopvol. 'Maar stel... dat het wel zo is, dan is hij de vader van dat kind en... wil je die in het cachot laat gooien? Wanneer heb je weer je periode?'

'Volgende week.'

'Wacht dan nog even af.'

'Nee moeder. Ik wacht nog tot morgen en niet langer.'

'Lily wacht nog even,' stelt moeder vader snel gerust als die in de deuropening verschijnt.

's Middags, als moeder een paar uurtjes naar de vrouwenbond is – Lily heeft erop gestaan dat ze moest gaan – vecht ze tegen de verleiding om toch naar het politiebureau te gaan. Maar de energie ontbreekt haar, ze is murw van de pijn en de vernedering. Bovendien laat het spookwoord 'zwanger' zich niet verdringen. Als er op de deur wordt geklopt en ze een van haar vriendinnen voor de deur ziet staan springt ze geschrokken weg van het raam.

De volgende morgen wordt ze woedend als de politie niet verschijnt.

'Jullie houden me aan het lijntje, jullie willen helemaal niet dat ik aangifte doe, waarom niet?'

'Morgenvroeg komt hij zeker,' kalmeert moeder haar.

Vreemd genoeg gelooft Lily haar. Terwijl het feit dat moeders stem zo zeker klinkt tegelijkertijd haar argwaan wekt.

De volgende morgen zit de politieagent weer op vaders plaats. Als zij binnenkomt gaan vader en moeder de kamer uit. 'Waar gaan jullie...?

'Neem plaats,' gebiedt de politieman.

Even aarzelt ze of zal gaan zitten of de vaas bloemen op tafel kapot zal smijten. Hij neemt die beslissing voor haar door de bloemen naar de andere kant van de tafel te schuiven.

'Nou, wat heeft hij gezegd?' Ze is er zich van bewust dat het niet die zin maar vooral haar toon is die aanmatigend klinkt.

'Jongedame, als ik jou was zou ik een beetje rustig blijven, ik heb niet zo goed nieuws voor je.'

'Dat wist ik toch? Dat heb ik van tevoren gezegd. Ik wist dat hij zou zeggen dat hij niets heeft gedaan. Ik wist dat hij de vermoorde onschuld zou spelen! U had hem meteen moeten opsluiten. 'Ik heb niets gedaan," probeert ze hem met een onschuldig piepstemmetje te imiteren.

'Wat hij zegt is veel ernstiger.'

'Wat kan er nou ernstiger zijn dan wat er is gebeurd?'

'Dat Thieu zegt dat een vriend van hem heeft verklaard dat jij ook al met die vriend...'

Lily stoot een hysterische lach uit. 'Dat ik wat heb met zijn vriend?'

'Wat ik zeg, is dat Thieu beweert dat hij niet de eerste was.' Langzaam dringt de betekenis van die woorden tot haar door.

'Wat een onzin, wat is dit voor verhaal?' Ze voelt het schaamrood haar gezicht kleuren. 'Ik was nog maagd,' zegt ze en probeert haar handen richting bloemenvaas te sturen.

'Die vriend zegt dat *hij* de eerste was.'

'Dat liegt hij! Wie is dat trouwens die dat durft te beweren?'

'Dat mag ik niet zeggen.'

'Natuurlijk wel, u weet het, dus zeg het maar, dan ga ik nu met u naar hem toe.'

'Ik mag niet meer zeggen dan dat die vriend bereid is om bij een eventuele rechtszaak met de vingers de lucht in te gaan.'

Langzaam dringt de waarheid tot haar door. De gelogen waarheid weliswaar, maar zij begrijpt nu welk spelletje hij heeft gespeeld om zijn vege lijf te redden. Hij heeft een vriendje gecharterd die voor hem gaat liegen. Ze drukt haar handen tegen haar slapen om de zwellende aderen in toom te houden. Hij is nog een grotere klootzak dan ze al wist.

'Ik wil dat u me zegt wie die vriend is!' schreeuwt ze zo

hard dat haar ouders verschrikt naar binnen springen.

'Stel dat het waar zou zijn, wat heeft dat te maken met die verkrachting?' hijgt ze. Maar ze weet dan al dat die vraag een zwaktebod is. Het betekent dat zij een slet is en een slet kun je niet verkrachten.

'Zeg me zijn naam,' smeekt ze huilend.

Haar moeder kom naast haar staan en slaat een arm om haar heen.

'Moeder help me, zeg dat hij me moet zeggen wie het is. Weten jullie het?'

'Wij weten niet meer dan jij, wij weten dat jij de waarheid spreekt, wij geloven jou maar kunnen ook niets doen.' Haar handen beven van woede maar krijgen toch grip op de kristallen vaas. Blind van woede gooit ze in een machteloos gebaar de vaas op de grond. Terwijl het kristal in duizend stukjes uit elkaar springt blijven de pioenrozen ongeschonden.

Na vijf angstige dagen en slapeloze nachten, waarin ze zelfs de God waarin ze niet gelooft aanroept, komt het verlossende bloed. Heviger dan ooit, alsof haar lichaam zich met terugwerkende kracht alsnog van zijn indringer wil ontdoen.

4

Wanneer Thieu zijn ogen open slaat en helder zonlicht tegen de muren ziet dansen ervaart hij, niet meer dan luttele seconden, de illusie van een zorgeloze toekomst die hem doet denken dat hij in zijn eigen bed ontwaakt. Het volgende moment trekt zijn bewustzijn hem weer terug de rauwe werkelijkheid in. De voorzichtige hand van de verzorgster op zijn voorhoofd verzacht de bittere teleurstelling. Het lijkt er op alsof zij de hele tijd heeft zitten wachten totdat hij wakker zou worden.

'Uw vrouw moest even wat regelen in de stad, ze komt vanmiddag weer,' zegt ze als zijn blik Tineke zoekt.

Thieu knikt als ze vraagt of hij even uit bed wil. Meegaand helt hij naar haar toe, behoedzaam tilt ze hem op en zet hem in de stoel naast het bed.

Of hij echt niet even naar de huiskamer wil? vraagt ze. Maar Thieu heeft geen behoefte aan lotgenoten en hun familieleden die in verhulde taal met elkaar spreken. Hij wil gewoon even in de stoel zitten om naar buiten te kijken, als ze zo vriendelijk wil zijn om het raam open te maken.

Zijn bestaan is geslonken tot de basale behoefte aan een teug verse lucht. Hij haalt diep adem en zijn lichaam proeft het genot van de bevrediging. Als ze hem alleen laat om ge-

haast de telefoon op te nemen, vangt hij door de geopende deur flarden van het gesprek op.

'Wat leuk' – hij hoort hoe ze probeert de plotselinge blijd-schap in haar stem te dempen. Uitbundigheid is in dit huis natuurlijk ongepast.

Als ze terugkomt om het kussen in zijn rug te schikken vraagt ze of hij wil dat ze de deur sluit. Hij knikt, hij wil niet onvriendelijk lijken maar hij voelt zich prettiger alleen. Con-tact met de buitenwereld maakt hem onrustig. Na een tijd-je merkt hij dat het zitten hem zwaarder valt dan verwacht. Het is vooral een opkomende duizeligheid die hem onzeker maakt. Het bed lijkt een veilige plek. In een poging die te be-reiken pakt hij de bedrand vast en probeert zijn lichaam er-over heen te trekken. Zijn inspanning wordt niet beloond. Hij vervloekt zijn afhankelijkheid die hem niet meer toestaat dan een druk op de bel.

Terug in bed zwakt de duizeligheid weer een beetje af. Hij heeft het gevoel dat hij zachtjes gewiegd wordt door het bed. Langzaam verdwijnt hij, leeftijdsloos, in de armen van zijn moeder. Zij komt de laatste tijd steeds vaker voorbij om hem mee terug te nemen naar hun kleine huis. Aan haar hand stapt hij dan naar binnen en wordt weer moeiteloos onder-deel van de vrolijke drukte van het grote gezin.

Beelden van zijn vader, die tussen al het gewoel onverstoor-baar zijn accordeon bespeelt, presenteren zich spontaan. Een huishouden van Jan Steen. Een veilig huishouden, bestierd door een liefdevol ouderpaar. Hij ziet weer de glinstering in zijn vaders koolomrande ogen als de kleintjes uitbundig om hem heen dansen en moeder met hen mee zwiert. Ooit heeft de accordeon een jaar en zes weken gezwegen. De dood had hen bezocht en zijn jongste zusje meegenomen. Een hersenvliesontsteking was haar fataal geworden. Een week lang had ze in de hoek van de kamer opgebaard gelegen, een porseleinen pop in een wit kistje omringd door witte fresia's. De doordringende geur van die iele bloem heeft hem een levenslange afkeer van fresia's bezorgd. Zijn ouders hebben het verdriet voor altijd meegedragen, de zorgeloosheid is nooit meer helemaal teruggekeerd. Veel gezinnen in het dorp verloren in die tijd een kind, vooral in de arbeidersbuurt waar zij woonden.

Het deinen wordt weer heviger. Het bed wordt een schip. Hij hangt kotsend over de reling en probeert zich manmoedig staande te houden onder de hoon van zijn maten. In een vlucht naar voren opent hij zijn ogen om zijn zonverlichte kamer weer in zicht krijgen. Maar de zon is verdwenen achter de stapelende golven die nu steeds hoger tegen de muren dansen.

Diep zuchtend probeert hij zijn opspelende maag in bedwang te houden. Hij wil niet meer braken, zijn slokdarm is geïrriteerd door al het zuur dat hij de laatste maanden omhoog heeft gehaald. Met veel inspanning haalt hij het gevoel van verlossing terug dat zijn deel werd toen hij uiteindelijk na de lange bootreis voet aan wal zette en zijn misselijkheid als bij toverslag was verdwenen om plaats te maken voor de spanning voor dit onbekende land.

Hij kan niet ontkennen dat het vreemde mooie land hem aanvankelijk had bekoord. De stank van stookolie die nog op de kade hing had zich al snel vermengd met de geur van specerijen, citroengras, jasmijn en gardenia's. Ook had hij nog nooit eerder zoveel verschillende kleuren groen bij elkaar gezien.

Het leek een land om van te houden maar de oorlog had dat romantische idee snel en wreed verstoord.

Toen de werkelijkheid hem uit zijn roes van avontuur had gehaald had hij gezworen dat hij, mocht hij het eiland levend verlaten, er nooit meer naar terug zou keren.

In een poging zijn nachtmerries te ontvluchten dwingt hij zich zijn ogen weer wijd te openen. Hij probeert wakker te blijven, maar hij weet dat achter zijn oogleden op dit moment een volgende hallucinatie al bezig is haar hoofdrolspelers in stelling brengen.

De zuster heeft hem beloofd de dokter om andere medicijnen te vragen. Want bij uitzondering levert deze medicatie hém geen rustgevende dromen, maar diepen ze fantomen uit een ver verleden op. Een laatste poging om aan zijn plaaggeesten te ontsnappen mislukt.

Hij valt weer terug in de jongeman die in dat inmiddels gehate land tussen het dichte gebladerde samen met zijn maten gespannen zoekt naar een van hun kameraden. Als eerste gaat hij af op een zoemend geluid dat zich vastzuigt in zijn oren. Het steeds sterker wordend gonzen, dat alle andere geluiden in deze jungle overstijgt, wordt zijn kompas. Zijn kameraden geven aan dezelfde richting te volgen.

Dan plotseling vanuit het niets een open plek die hen doet verstijven... een executieplaats! Een boom met daaraan een vastgebonden man, met hangend hoofd en uitpuilende ogen, omhuld door een zwerm insecten die zich verwoed tegoed doen aan het met een stroopachtige substantie ingesmeerde naakte lichaam.

Hij gilt, als iemand een hand naar hem uitstrekt slaat hij die, in gevecht met de insecten die zich nu massaal op hem lijken te storten, van zich af. De koele hand op zijn voorhoofd samen met een sussende stem haalt hem langzaam terug. Hij leeft nog. Waarom mag hij nog niet dood? Waarom mag hij niet verlost worden van deze beelden die zich tegen zijn wil naar binnen blijven vreten?

Hij houdt zijn ogen gesloten en overdenkt nu bewust de afloop.

Met zijn allen hadden ze die opgewonden zwerm uiteindelijk kunnen verjagen. Daarna hadden ze het gehavende lichaam voorzichtig losgemaakt. Uit respect hadden ze hun woede onderdrukt en hem stilzwijgend meegenomen. Dat hun maat al dood was toen ze hem vonden hadden ze meteen gezien. Vragen over hoe vreselijk zijn sterven moest zijn geweest had de hospik niet willen beantwoorden. De voorstelling die hij voor zichzelf had proberen te maken had zijn haat tegen die ploppers doen groeien. Hij had de geestdrift verwenst die zijn avontuurlijke geest had aangespoord zich als vrijwilliger te melden.

De soldij had veel vergoed. Hij was zuinig geweest en had niet, als veel van zijn maten, alles uitgegeven aan drank en pleziermeisjes, maar trouw een groot deel naar Nederland gestuurd.

Als zijn moeder hem liet weten dat ze nieuwe dekens had kunnen kopen en dat ze nu niet langer armoedig onder winterjassen hoefde te slapen, had hem dat met trots vervuld. De gedachte aan zijn zorgzame moeder, haar onvoorwaardelijke liefde ontroert hem nog steeds. De gedachte dat zij volgens die praatman de oorzaak van zijn drankzucht zou zijn geweest maakt hem nu nog kwaad. Schuldlozer dan zijn moeder kon niemand zijn.

'De dokter komt vanmiddag voor uw nieuwe medicijn,' zegt de zuster. Ze legt zijn hand nu hij weer rustig is voorzichtig terug op zijn borst.

'U had een nare droom, wilt u erover praten?' Hij schudt zijn hoofd en leidt zijn blik langs haar heen. Hij wil alleen gelaten worden.

Hij heeft zijn hele leven niet gesproken, waarom zou hij dat nu wel doen?

Maar de zuster houdt aan: 'Dadelijk komt uw vrouw, misschien wilt u met haar praten.'

Of hij dat wil? Hij wil maar een ding: dood. 'Dood,' zegt hij. Zij knikt meelevend. Hij vraagt haar hem alleen te laten.

Hij sluit zijn ogen en probeert zich te concentreren op de mooie momenten uit zijn leven.

Tineke onder de luifel van de groentewinkel die hem liet merken geïnteresseerd te zijn. Dat geluksgevoel, die zekerheid; dit is het meisje dat hij wil. Een baby in zijn armen, met licht beschenen, zijn zoon! De zware boezem van Tineke, veilig en erotisch tegelijkertijd. Hij zou er nu in willen verdwijnen.

Zijn oudste zoon, nu een kop groter dan hij zelf, in een omgeving die hem onbekend is en hem onzeker maakt. Tineke naast hem die hem in zijn arm knijpt en met fluisterstem opgewonden meedeelt hoe trots ze op hun zoon zijn. Het verhaal van een professor dat hij niet helemaal begrijpt omdat de taal die de 'hooggeleerde' spreekt niet de zijne is. Zijn spijt dat zijn vader en moeder niet meer mee mogen maken dat hun kleinzoon nu ingenieur is. Tineke die zegt dat ze het wél weten omdat ze 'van boven' meekijken.

Een paar jaren later de jongste zoon in zijn armen om afscheid te nemen. Hij vertrekt naar een ander deel van de wereld om daar de mensen te helpen. Tineke die stilletjes huilt, hij die nu zegt dat ze trots moeten zijn.

Beelden van nog niet zo lang geleden, tevreden tussen collega's aan de werkbank, met ingespannen aandacht vijlend aan een cilinder. In de pauze de saamhorigheid van hun schaterende lach om een geslaagde mannenmop. Hij bevriest als er wordt gevraagd wanneer hij weer eens de bloemetjes buiten gaat zetten? Hij weet waarop ze zinspelen. Ze denken dat hij er soms even tussen uit knijpt om erotische avonturen te beleven, ze weten niet dat hij afdaalt in de hel.

Hij wil Tineke en zijn zonen terug maar ze worden nevelig, drijven weg naar een grijs gebied. Ze worden onduidelijk als een schilderij waarop hij niet meer ziet dan verfstreken.

Een vrouw gilt, vlammetjes likken aan de leuning van de bank waarop hij ligt. Hij rolt van de bank af, de vrouw blust met een natte handdoek. Wie is zij? Hij neemt zijn bonkend hoofd in zijn handen. Met een voorzichtige oogopslag tast hij de contouren van een slordige huiskamer af. De stank van verschaald bier en van sigarettenas vermengd met de geur van smeulend leer dringt in zijn neus. Koortsachtig zoekt hij *naar herkenning. Wie is zij? Een vaag beeld van haar, zwaar tegen hem aanleunend, samen drinkend in een donker café.*

Een onbekende stem zegt: 'Je bent in slaap gevallen met een brandende peuk in je mond. Wil je koffie?'

Hij schudt zijn hoofd, wat wil ze van hem? Hij rookt al dertig jaar niet meer. Hij wil weg. Wankelend komt hij overeind en loopt richting deur. Zij draait zich om en neemt haar plaats aan een tafel vol lege flessen en etensresten weer in. Zij verwacht ook niets van hem.

Een hand op zijn schouder, een zachte stem die vraagt of ze nu het raam moet sluiten, redt hem.

Een moment van blije verwachting, zo dadelijk zal hij zijn jongste zoon zien. Hij is terug gekomen om afscheid te nemen van zijn stervende vader.

5

Ze legt haar hoofd op het stuur en wenste dat ze kon huilen. Maar haar woede overheerst. Ze laat haar wraakzuchtige fantasieën alle wegen bewandelen die ze wenst. In de wattige doolhof van haar gedachten ontsporen ze soms gevaarlijk. Ze ziet er torenhoog tegenop om naar huis, naar Paul te gaan. Tegelijkertijd verlangt ze, op zoek naar troost en bescherming, er naar bij hem te schuilen. Ze weet dat ze voordat ze haar verhaal kan vertellen eerst haar gedachten zal moeten rangschikken. Hoe moet ze beginnen? Plompverloren vertellen dat ze ooit is verkracht, en dan op zijn vragen wachten? Of meteen duidelijk vertellen hoe dat is gebeurd waardoor vragen overbodig worden? Teruggaan in de tijd valt haar zwaar. Onverhoeds vlamt de pijn op en breekt het door de jaren gebalsemde omhulsel. Ze wil die pijn niet weer voelen. Niet weer opnieuw.

Dan wordt plotseling de kiem gelegd voor een korte ontsnapping. Ze schrikt van de drang die haar na al die jaren, met het recht van een oude vriend, weer overvalt. De stad lokt... Ze kan nog even vluchten... ze verzet zich... maar de stad lokt...

Toen, toen... hoe lang geleden? Lang geleden... toen ze zelfs, met steun van vader, het gevecht met heeroom had gewonnen. Zij mocht in Haarlem haar opleiding voor verpleegkundige gaan volgen. Blij en opgelucht was ze geweest. Studeren in Haarlem betekende: weg uit het dorp, weg van thuis. Weg van de bezorgde blikken van moeder. Weg van de stekende vragen van vriendinnen. Weg van de plek waar ze nooit had willen zijn.

Weg van het gevaar hem ooit nog tegen het lijf te lopen. Dat moeder met stellige overtuiging beweerde dat hij verbannen was uit het dorp, stelde haar niet gerust. Ze wilde zelf verdwijnen.

Zij zou in Haarlem bij een van de twee broers van haar vader gaan wonen. De oudste broer was een stijve katholiek, met een kille vrouw. De andere een rebellerende atheist, die haar steeds aan het lachen maakte en *carpe diem* als levensmotto had.

Zijn vrouw had een boezem zo groot dat Lily het gevoel had dat ze haar armen moest rekken om haar te omhelzen. Haar hart was even groot.

Natuurlijk had heeroom er op gestaan dat zij naar die stijve katholieken zou gaan en niet naar dat verderfelijke heidense stel. Maar deze keer had vader zijn rug recht gehouden en had ook moeder zich daar achter kunnen verschuilen.

Bij haar oom en tante had ze zich geborgen gevoeld. Als ze belaagd werd door opdringerige beelden, hielp tante haar die spoken uit het verleden te verdrijven. Haar steun was onvoorwaardelijk. Liefdevol maar ook nuchter had ze haar er van proberen te overtuigen dat ze haar leven niet mocht laten beheersen door het ongeluk dat haar was overkomen.

'Je moet weer opnieuw leren vertrouwen,' hield ze haar voor. 'Niet alle mannen zijn potentiële verkrachters,' stelde ze pertinent. Kijkend in haar trouwe ogen liet Lily zich graag door haar overtuigen. Maar eenmaal weer alleen werden tantes wijze woorden door een geniepige twijfel gewist en werd de deksel van de beerput weer opgetild. Telkens weer moest ze haar vijand, wiens gezicht ze had gedegradeerd tot een witte vlek, verslaan. Als de valkuil van het vooroordeel dreigde hadden tantes woorden haar wel behoed.

Ook de stille tochten naar de stad hadden haar geholpen. Eerst was het een spelletje geweest, maar toen er therapeutische krachten in dat spelletje bleken te schuilen had ze er geen weerstand aan kunnen bieden. Toen ze Paul had leren kennen was die behoefte langzaam geslonken en uiteindelijk verdwenen.

Hoe kan het dan toch dat die verbannen behoefte nu, na al die jaren, plotseling als een giftige slang zijn kop weer opsteekt? Die was dus nooit voorgoed verdwenen, had zich alleen maar verborgen gehouden in haar verlangen naar veiligheid, wachtend op een moment van zwakte.

Dat deze aanvechting zich na al die jaren weer aandient verwondert haar niet eens, maar dat ze er geen weerstand aan kan bieden verontrust haar.

Respijt, respijt heeft ze nog even nodig voordat ze naar Paul kan.

Wat zal Paul als eerste vragen? Natuurlijk: 'Waarom heb je het me nooit verteld?' En dan zal hij vragen: 'Wat nu? Hoe kan ik je helpen? Wat wil je? Wat kun je?'

Geen van die vragen kan ze nu beantwoorden. Of toch

wel één: 'Waarom heb je het me nooit verteld?'

Omdat jij, lieve Paul, me de kans niet hebt gegeven. Omdat wij na een jaar verkering de eerste keer een weekend samen weg zouden gaan, wat betekende dat we 'het' voor de eerste keer zouden gaan doen. Dat mijn lieve tante me toen uitlegde hoe we aan condooms konden komen, omdat zij dacht dat dat mijn zorgelijke blik verklaarde.

En ik uiteindelijk, omdat ik de spanning niet meer aankon, want ik werd liever meteen *daar* weggestuurd dan uit een hotelkamer gejaagd, ik op het perron mijn gezicht tegen jouw veilige schouder verborg en fluisterde: 'Ik ben geen maagd meer,' en jij toen laconiek antwoordde: 'Ik ook niet,' en me vervolgens nog vaster in je armen drukte. Dat ik toen de mooiste dagen van mijn leven beleefde omdat jij me leerde te genieten van liefdevolle seks. Hemels genot bleek ook voor mij te bestaan en jij liet me daar kennis mee maken. Jij hield zoveel rekening met mij dat ik me bijna schaamde.

Ik was zo dankbaar dat jij een normaal mens van me maakte, dat ik vond dat ik jou niet met mijn 'probleem' mocht lastig vallen. Bovendien was dat voor mij een reden om te mogen zwijgen.

In de loop der jaren heb ik nog wel eens op het punt gestaan je deelgenoot te maken. Maar mijn voorzichtige pogingen werden dan getorpedeerd door jouw dubieuze mannengrapjes over uitdagende meisjes. Jij kon niet weten dat die me kopschuw maakten. Weer een andere keer besloot ik op het laatste moment dat het *mijn* probleem was en dat ik dat ook *zelf* moest verwerken. Ook achter de belofte aan moeder die mij, toen ik jou thuis voorstelde, snel even apart nam en me toefluisterde: 'Je hebt hem toch niets verteld...?' en me nadat ik haar vraag ontkennend had beantwoord nadrukkelijk liet beloven dat ook nooit te zullen doen, heb ik me vaker kunnen verschuilen. Ja, je zou me kunnen beschuldigen van lafheid.

Het starten van de auto betekent dat ze zich overgeeft. De stad wint. Paul mag nog even onwetend blijven.

Zoekend rijdt ze door de hoofdstraat. In een laatste poging tot vluchten rijdt ze weer terug de randweg op. Ze vraagt zich niet langer af wie of wat haar heeft gestuurd als ze even later toch weer de stad in rijdt en op het marktplein een parkeerplaats zoekt. Ze blijft nog even weifelend zitten maar laat vervolgens peilend haar gespannen blik rondgaan. Aan de overkant is een uitnodigende brasserie met ramen tot op de grond.

Voor een van die ramen ziet ze een onbezet tafeltje. Bang dat iemand haar uitverkoren plaats op het laatste moment nog zal bezetten loopt ze, rent ze er bijna naar toe. Bij de eerste oogopslag ziet ze dat ze ruimschoots naar buiten kan spieden, terwijl het spiegelend raamglas haar bescherming biedt voor blikken van passanten. De huiselijke warmte van de brasserie maakt dat ze zich weer wat rustiger voelt. Bij de ober, die haar alleen maar vragend aankijkt, bestelt ze een kannetje koffie. Dat biedt haar ruimschoots de tijd ongestoord te blijven zitten zonder inbreuk van de ober op zoek naar een nieuwe bestelling. Even laat ze een korte blik scheren over de hoofden van de andere gasten, geen oogcontact alstublieft, dan verschuift ze haar stoel en fixeert haar blik op het straatbeeld. Ze haalt diep adem, sluit even haar ogen en repeteert tantes woorden: 'Niet alle mannen zijn potentiële verkrachters.' De woorden van haar tante hadden haar ooit aangezet tot het maken van deze schifting van voorbijgangers. Eerst had het nog een ongevaarlijk kinderspelletje geleken: als ik uitkom op een oneven tegel moet ik helemaal opnieuw beginnen. Maar toen ze had ervaren dat 't kunnen oordelen haar een gevoel van macht schonk dat therapeutisch werkte, was het spelletje omgeslagen in een behoefte.

Een bont gezelschap van voorbijgangers schuift binnen haar gezichtsveld. Meisjes, vrouwen, een jongetje op een step en als laatste een oude man die zo ver voorovergebogen loopt dat ze zijn gezicht niet kan zien, hij telt niet mee, beslist ze. Maar ze moet streng blijven en zich aan de door haarzelf opgelegde regel houden dat ze tussen de tien passerende mannen minstens vijf 'onschuldigen' gespot moet hebben voordat ze kan stoppen, anders moet ze weer van voor af aan beginnen.

Even lijkt het alsof de mensen haar raam mijden. Een jonge vrouw jonglerend met een krijsende baby en een volle boodschappentas houdt even haar aandacht vast.

Dan de eerste man... ze voelt haar hart roffelen. Man? Of is het nog een jongen? Ze besluit dat het een man is en onder de categorie 1: *waarschijnlijk niet* valt. Ze moet het zichzelf niet te moeilijk maken.

Maar de vent die met een botte beweging het meisje dat hij passeert uit haar evenwicht brengt en zonder zich te verontschuldigen verder loopt, valt beslist onder de categorie 2: *zeker wel*. Daar ontkomt ze niet aan.

Tot haar opluchting verschijnt achter de twee giechelend punkmeisjes die elkaar van de stoep proberen af te duwen een jonge kapelaan die met de knoopjes van zijn soutane speelt. Hij wordt vanzelfsprekend categorie 1.

Ook over de man die zijn oude moeder liefdevol ondersteunt hoeft ze niet na te denken.

Een man met respect voor vrouwen: 1.

Het lijkt goed te gaan, ze voelt dat haar ademhaling rustiger wordt. Het liefst wil ze hier zo snel mogelijk weg. Ze hoopt dat gauw de nummers vier en vijf voor 1 *waarschijnlijk niet* voorbijkomen.

Helaas, de eerstvolgende man die praktisch voor haar neus ongegeneerd zijn geslacht goed legt, er vervolgens nog een goedkeurend tikje op geeft, kan niet anders dan naar 2.

Gelukkig overheerst bij die jonge vader met zijn dochter in zijn nek de vrolijkheid. Onschuldig in ieder opzicht.

Dan bekruipt haar een onzeker gevoel. Laat ze zich niet misleiden, door de vader de onschuld van het kind toe te dichten? Thieu heeft toch ook kinderen. Wie zegt dat hij voor een buitenstaander niet net zo onschuldig zou ogen? *Onbeslist*.

Niets veranderd, nog twee en dan kan ze zichzelf dispensatie verlenen. Haar geduld wordt op de proef gesteld. De man met de woeste blik die haar zelfs een fractie van een seconde gemeen aankijkt kan onmogelijk naar 1.

'Niet alle mannen zijn potentiële verkrachters.'

Haar verlangen om in tantes woorden te geloven was zo

groot dat ze soms de uitslag manipuleerde.

Gelukkig hoeft ze dat vandaag niet te doen want van die twee mannen met zo duidelijke feminiene trekken heeft een vrouw niets te vrezen: 1

'Niet alle mannen zijn potentiële verkrachters.'

De opluchting vervangt niet meteen de leegte in haar lijf. Uitgeblust wendt ze haar blik af van het raam en zweert dat ze dit nooit meer zal doen. Ze wenkt de ober, die haar duidelijk laat blijken het maar eigenaardig te vinden dat ze wil betalen voor een onaangeroerd kannetje koffie.

Buiten blijft ze nog een tijdje wezenloos in de auto zitten.

De schaamte over haar zwakte maakt langzaam plaats voor wraakzucht. Toch schenkt de conclusie dat hij nu in een afhankelijke positie is van *haar* geen opluchting.

Wat valt er nog te winnen van een stervende? Misschien sterft hij vannacht wel. Zou ze dat willen? Zou ze de dood als handlanger wensen om de confrontatie te ontvluchten? Wat wil ze hem zeggen? De vervloeking van lang geleden heeft in de loop der jaren aan kracht verloren en is uiteindelijk verloren gegaan. Maar hij zal toch één vraag moeten beantwoorden: wie was die vriend? Wat heb je hem betaald om hem zover te krijgen dat hij meineed voor je zou plegen? Die ene vraag is altijd jennend de kop blijven op steken. Wie was het die hem heeft geholpen zijn straf te ontlopen? In het begin had ze nog het gevoel gehad dat het haar pijn verzacht zou hebben als hij zijn verdiende straf had gekregen. Uiteindelijk heeft ze moeten toegeven dat dat ook niet meer dan een pyrrusoverwinning zou zijn geweest.

Ook haar geloof in de wraak van een toornige God was in de loop der jaren verdwenen. Tantes wijze woorden: 'Helen doe je zelf' waren haar leidraad geworden.

6

Via verschillende omwegen eindigt ze uiteindelijk op het knerpend grind van hun oprit. Wanneer ze het geluid van de motor stopt wordt het heel erg stil om haar heen. Ze blijft besluiteloos zitten en wilde dat ze gedachteloos kon zijn als een pasgeboren baby, nog niet belast met gedachten die nu vrijpostig haar aandacht opeisen.

Op Pauls kamer brandt licht, als ze een slag draait ziet ze door de dunne vitrages heen vaag zijn hoofd voor- en achterwaarts bewegen. Zijn hoofd maakt die beweging richting de ezel waarop het portret staat waaraan hij de laatste hand legt, weet ze.

In zijn werkzame leven, eerst als officier, en daarna jarenlang als rechter heeft hij nooit de tijd kunnen vinden om zijn hobby te beoefenen, maar na zijn pensionering heeft hij er zich met volle kracht op geworpen. Volgens Paul hoeft een portret niet per se te lijken. Zijn uitdaging is om via een portret iemands wezen te onthullen. Hij is er van overtuigd dat dat bij mannen beter lukt dan bij vrouwen omdat vrouwen toch altijd iets verborgen willen houden. Op Lily's protest reageert hij dan met die plagende glimlach die haar meestal charmeert maar soms ook hevig irriteert.

Er zijn momenten waarop ze weigert zijn autoriteit te

accepteren. Desondanks kan ze niet ontkennen dat Pauls sterk ontwikkelde gevoel van redelijkheid voor de noodzakelijke rust zorgt. Tegelijkertijd wordt ze wel eens moe van iets te veel aan redelijkheid. Echt boos wordt ze als hij haar oordeel, volgens haar ten onrechte, zonder meer als vooroordeel bestempelt. Wanneer hij haar dan probeert over te halen om de betreffende zaak ook eens vanuit een ander standpunt te bezien, kan ze wel eens licht neurotisch reageren door hem tiranniek gedrag te verwijten.

Het idee dat hij af en toe haar moreel paspoort probeert te zijn maakt haar soms wrevelig. Wanneer hij dan schermt met de logica dat iemand die tien jaar ouder is vanzelfsprekend ook meer levenservaring heeft, rest haar niet meer dan een machteloos tegengesputter.

Toch verloopt hun leven, met niet meer dan af en toe zo'n oprisping en verder zonder echte dramatische commotie, in een kalme stroom.

Na al die jaren samen kan ze redelijk inschatten hoe Paul zal gaan reageren. Haar korte overweging om hem niets te vertellen omdat ze zijn inmenging niet wenst wuift ze snel weg, Paul misleiden zou nooit lukken en haar bovendien veel te veel energie kosten. Niets zo vermoeiend als liegen.

Hij zal met haar begaan zijn om wat haar is overkomen, dat weet ze. Maar hoe zal hij reageren als ze hem vertelt dat zij nu een stervende ter verantwoording wil roepen?

Welke argumenten hij ook zal opvoeren, ze zal zich door hem niet laten weerhouden.

Hij heeft niet meteen in de gaten dat ze achter hem staat. Ontevreden zuchtend concentreert hij zich op het portret. Ze blijft nog even stil achter hem staan terwijl ze haar blik zijn atelier laat rondgaan, ze komt hier niet zo vaak. Een grote foto van Berlijn neemt nog steeds een prominente plaats in. Paul had zijn hart aan die stad verpand toen hij er een half jaar als student had gewoond. Ooit zou hij haar laten kennismaken met Berlijn, had hij lang geleden beloofd.

Verschrikt springt hij op als Lily met een lichte druk op zijn schouder haar aanwezigheid verraadt. Met het penseel nog in de aanslag maakt hij zich met tegenzin los van het portret. Pas als hij zich realiseert dat zij op dit uur van de dag in het hospice zou moeten zijn maakt zijn verbazing plaats voor bezorgdheid.

'Waar kom jij vandaan, moet je niet werken? Wat kijk je verdrietig, is er iets gebeurd?'

'Ja, er is iets gebeurd, maar je hoeft niet te schrikken, het is niets om je zorgen over te maken.'

'Nou, je ziet er niet echt zorgeloos uit.'

Ze slaat haar arm om zijn middel en duwt hem zachtjes richting kamerdeur.

'Kom even naast me zitten, dan vertel ik je waarom ik hier ben.'

Ze schuift tegen hem aan, legt haar hoofd tegen zijn schouder, staart naar een familiefoto op het dressoir en zegt na een lange stilte met gespannen stem:

'Ik ga je iets vertellen over wat er heel lang geleden met mij is gebeurd en waarover ik nooit met iemand heb gesproken.'

Ze heft haar hoofd en vervolgt: 'Je moet me beloven dat je zolang ik praat geen vragen zult stellen.'

Hij duwt haar hoofd zachtjes terug naar zijn schouder en antwoordt: 'Ik beloof dat ik je niet zal onderbreken, haal maar even diep adem, ik luister.'

Zijn kalme stem zorgt er voor dat ze wat ontspant. Ze weet niet meer wat ze moeilijker vindt; het verhaal van de verkrachting, of haar voornemen dat ze die verkrachter nu op zijn sterfbed ter verantwoording wil roepen.

Verbaasd hoort ze zichzelf de openingszin uitspreken: 'Ik was als jong meisje best uitbundig.' Verschrikt zwijgt ze en als hij zoals afgesproken ook zwijgt vraagt ze zich af waarom ze zichzelf zo neerzet. Heeft in de loop der jaren toch het idee postgevat dat haar dit niet was overkomen wanneer ze een stil en teruggetrokken meisje was geweest?

Als de stilte onaangenaam wordt spoort hij haar met een lichte druk van zijn hand aan verder te gaan.

Na eerst uitvoerig de sfeer van die tijd toegelicht te hebben begint ze aarzelend aan haar verhaal en komt ze langzaam maar zeker tot de dramatisch afloop. Het verwondert haar dat ze verslag kan doen zonder door emoties te worden overmand. Alleen als ze over het bedrog van die vriend vertelt speelt haar gemoed op. Die woede heeft nog niets aan kracht ingeboet. Aangekomen aan het einde van haar verhaal verzucht ze: 'Ik had gehoopt hem nooit meer te zien maar nu het lot anders heeft beslist zal hij met me moeten praten.'

Op Pauls woordeloze vraag of hij nu weer mag praten antwoordt ze met ongedurige stem: 'Ja, ja zeg het maar.'

'Kan hij dat dan nog?'

'Natuurlijk! Hij is nog bij volle verstand hoor!'

'Lieve, wat jou is overkomen is vreselijk, waarom...?'

'Ik had het je ooit willen vertellen. Maar jij hebt ook nooit iets gevraagd.'

'Wat had ik dan moeten vragen?'

'Bijvoorbeeld waarom ik geen maagd meer was.'

'Mijn God verwijt je mij dat nu? Terwijl ik toen dacht: zij is even ondeugend geweest als ik.'

Hij drukt haar steviger tegen zich aan en kust sussend haar voorhoofd.

Toegeeflijk legt ze haar handen in zijn aangeboden hand. Zo blijven ze zwijgend een tijdje zitten. Tenslotte haalt Paul diep adem en zegt met een aangedane stem: 'Ik schaam me voor mijn soortgenoten. Wat moet jij toen eenzaam zijn geweest, en dat je er ook nog met niemand over kon praten...'

'Wel met tante Mies.'

'Fijn dat zij er tenminste voor je was. Heb je nooit overwogen om het met een professioneel iemand te delen? Zoiets ingrijpends kun je bijna niet in je eentje verwerken.'

'Ik wel, ik wilde geen hulp, dat beschouwde ik als zwakte. Ik wilde het zelf oplossen, en dat is me tot nog toe goed gelukt, hij heeft niet gewonnen.'

'Weten onze dochters wat jou is overkomen? Heb je er ooit met ze over gesproken?'

'Nee, allicht niet.'

'Waarom niet?'

'Wat denk je? Omdat ik ze er niet mee wilde belasten natuurlijk.'

'Dat begrijp ik, maar als je het wel met ze had gedeeld waren er misschien dingen duidelijker voor ze geweest. Zoals ik nu ook begrijp waarom je je gedroeg zoals je je soms gedroeg. Als je de meiden had verteld wat jij had meegemaakt dan hadden ze begrepen waarom je in hun puberjaren soms zo overbeschermend was.'

'Dat was ik helemaal niet, ik was gewoon bezorgd, zoals iedere moeder.'

'Jij was óverbezorgd.'

'Ga je me nu verwijten dat ik niet goed voor mijn meiden ben geweest?'

'Een betere moeder hadden ze zich niet kunnen wensen. Maar het had jou en hen geholpen als ze hadden geweten waaruit jouw, en ik zeg het nu toch, overdreven angsten voortvloeiden.'

Waarom had ze het haar dochters nooit verteld? Tot nu toe heeft ze die vraag op afstand weten te houden. Natuurlijk was het niet bespreekbaar geweest met de pubers, die hun moeder alleen maar stom vonden. Maar wat had haar ervan weerhouden om later, aan haar volwassen dochters, te vertellen wat haar was overkomen? Het was haar onderhuidse angst en schaamte geweest, vanwege het feit dat op hun onschuldige en voor de hand liggende vragen: Had je zijn bedoeling niet door? Was hij de eerste jongen die iets bij je probeerde? geen simpel antwoord te geven was. Hoe zouden haar autonome dochters dertig jaar later nog iets hebben kunnen begrijpen van de zeden van destijds. Van de schijnheiligheid en de preutsheid. Van de bijna perverse preutsheid die de lust alleen maar voedde. De zondige lust.

'Gaat het nu over mij of over de vent die dit op zijn geweten heeft?' verzucht ze.

'Het gaat over wat jij heb meegemaakt en over ons die deel uitmaken van jouw leven.'

'De meiden zijn er niet slechter van geworden dat ik ze dat ellendige verhaal heb bespaard. Bovendien had ik het toen zelf verwerkt, dus waarom zou ik het dan nog eens oprakelen.' Ondanks dat ze het nu hardop met overtuiging beweert, speelt er een lichte twijfel op. Als ze het inderdaad echt had verwerkt had ze er dan niet al lang eerder met Paul over gesproken?

Ze weet het niet meer, niets is meer zeker.

Ze maakt zich los, 'ik zou wel iets willen drinken, iets met alcohol.'

'Natuurlijk.'

Als hij haar een glas wijn aanreikt vraagt hij: 'En nu?'

'Nu heeft het noodlot hem terug gebracht en kan ik hem vragen stellen. Bijvoorbeeld wie die valse leugenaar was.'

'Dus hij moet nu verantwoording afleggen?'

'Misschien. Wat ik vooral wil horen is wie die vriend was die ervoor heeft gezorgd dat hij zijn verdiende straf kon ontlopen. Wat hem zelf toen bezielde interesseert me eigenlijk niet eens meer zoveel.'

'Heb je hem vergeven?'

Verlangend naar de verleidelijke verdoving van alcohol verslikt ze zich bijna in de tweede gulzige slok wijn.

'Dat heb ik me nooit afgevraagd, waarom zou ik?'

Hij schenkt haar glas bij en antwoordt: 'Omdat, en ik weet dat het een cliché is, verwerken blijkbaar pas kan beginnen na vergeving.'

'Een cliché zeg je, nou dan, bespaar me die clichés! Ik heb me ook verraden gevoeld door mijn ouders. Hen heb ik wel vergeven.'

Terwijl ze die woorden uitspreekt hoort ze dat ze niet oprecht klinken. Door haar stem schemert de pijn van de teleurstelling die haar kop weer opsteekt. De teleurstelling over haar zwakke vader die zijn gedane belofte: 'Daar zal die smeerlap voor boeten!' nooit was nagekomen.

'Dat kon je natuurlijk omdat je van ze hiel en diep in je hart wist dat ze het alleen maar goed bedoelden,' hoort ze Paul haar ouders verdedigen.

'Ja, natuurlijk bedoelden ze het goed, blijft alleen de vraag: voor wie? Voor mij? Of wilden ze zichzelf de schande besparen dat hun dochter een van de dorpshelden met pek zou gaan besmeuren? Weet jij het antwoord?' Ze wendt haar hoofd af omdat ze nu toch tranen voelt prikken. Hij vult hun glazen weer bij en antwoordt met bedachtzame stem: 'Ik heb in die tijd ook jongens gekend die terugkwamen uit Indonesië, die waren totaal vervreemd, hadden zich volslagen van alles en iedereen losgezongen.'

'Probeer je nu excuses te vinden voor zijn gedrag? Typisch voor een man, mijn vader vond ook al dat God die arme jongens verlaten had. Misschien kunnen we Hem wel de schuld geven?'

'Lieve, ik verafschuw wat hij heeft gedaan maar...'

Woedend valt ze hem in de rede. 'Je verafschuwt wat hij

heeft gedaan, je veroordeelt de daad maar niet de mens, bespaar me jouw jargon! Vader veroordeelde zijn daad ook, maar in actie komen? Ho maar!'

Hij slaat zijn arm om haar heen en drukt haar weer voorzichtig tegen zich aan. 'Ik wil je niet krenken, ik wil je alleen maar helpen.'

Onwillig maakt ze zich los uit zijn omhelzing.

'Je helpt me niet door verzachtende omstandigheden voor hem aan te dragen.'

'Dat wil ik ook niet, maar feit is dat sommige van die jongens aan de tropenkolder leden. Soms sloegen ze zonder aanleiding bijvoorbeeld het hele cafémeubilair kort en klein. Later verklaarden ze dan dat een kudde witte olifanten op hen afstormde.'

'Hij was niet gek, hooguit dronken.' Ze schudt haar hoofd en zegt: 'Ik heb me naderhand nog vaak afgevraagd: heb ik me niet te makkelijk laten overmeesteren? Er na stond hij zo te wankelen op zijn benen dat ik hem met een pink omver had kunnen duwen. Maar van tevoren was hij zo sterk als een beer.'

Hij neemt haar gezicht in zijn handen, dwingt haar hem aan te kijken en zegt met ernstige stem: 'Beloof me dat je jezelf nooit meer zulke pijnlijke vragen stelt, er is maar één schuldige, en dat is hij.'

'Ja, en die zal boeten,' zegt ze, maar haar zwakke stem klinkt weinig overtuigend.

'Het lijkt me verstandig dat je eerst even een paar dagen thuis blijft, en de tijd neemt om over je beslissing na te denken.'

Ze weet dat ze uitstel nodig heeft. Ze huivert als ze zich voorstelt dat ze hem zou moeten verzorgen, zou moeten aanraken. Alleen het idee doet haar al walgen.

'Ik hoef niet meer lang na te denken en ik vraag je, je niet ermee te bemoeien, het is mijn beslissing of en wanneer ik terugga.'

'Dat weet ik en ik zal alleen maar helpen als je daarom vraagt. Misschien heb je mijn hulp wel niet nodig. Dat je sterk bent heb je bewezen door als zeventienjarige je leven weer een herkansing te geven.'

7

Mathieu voelt hoe hij tegen zijn zin wordt gedwongen om de staat van onbewustheid weer te verlaten. Hij weet dat hem de energie ontbreekt om te vechten tegen de kracht die hem weer die genadeloze werkelijkheid in zuigt. Waarom mocht deze vergevingsgezinde slaap niet eindeloos doorgaan, waarom mocht hij nog niet overgaan?

Want zo noemde de priester dat toch die hem af en toe bezocht. Hij zou overgaan naar een onbekende wereld, Gods wereld. Hij had geen behoefte aan de stichtende woorden van de priester. Maar om zijn omgeving niet te schofferen tolereerde hij hem en liet hij hem zijn riedel afsteken over het moois dat hem na dit aardse bestaan zou toevallen. Liefst had hij hem verteld dat hij zijn geloof in een goedgeefse God al lang geleden heeft verloren, toen hij een blik in de hel had mogen werpen. Maar hij is te moe om nog in discussie te gaan met iemand die dogma's gebruikt als voertuig voor zijn verkondiging.

Hij voelt de aanwezigheid van Tineke, toch houdt hij zijn ogen nog even gesloten. Hij is er nog niet aan toe om haar medeleven te ondergaan.

Toen de diagnose van zijn ziekte was gesteld was daar het doodsvonnis meteen bij geleverd.

Hij had er op gestaan de waarheid te horen. In tegenstelling tot Tineke had hij zich vrij snel bij het vonnis neergelegd.

Bijna als vanzelfsprekend was het terugblikken begonnen en had hij eenvoudig vastgesteld dat hij een mooi, maar ook een moeilijk leven had gehad. Zolang hij lichamelijk vitaal was geweest had hij zich bijna onaantastbaar gevoeld. Maar toen de pijn was begonnen, eerst rustig maar later steeds agressiever doorvretend, en weer later toen zijn lichaam was bezweken onder het betonnen blok van vermoeidheid, had de dood als eindpunt gelokt. Een eindpunt bovendien dat hem zou verlossen van kwellende herinneringen en beelden die telkens weer als fladderende vogels zijn geest bestormden. Zij waren er altijd al geweest maar leken zich nu, met het zicht op eindstreep, steeds nadrukkelijker te willen manifesteren.

Ooit had hij, meer omdat Tineke was blijven aandringen dan uit eigen overtuiging, een zenuwarts bezocht. Toen die, nadat hij hem eerst een aantal vragen vanaf een vragenlijst had gesteld, over zijn overleden moeder was begonnen en hem daarbij doordringend had aangekeken had hij met alleen een stoïcijnse blik geantwoord. Na een korte stilte had de arts opnieuw en nog dwingender zijn vraag herhaald. Mathieu had vastgesteld dat deze man met zijn onzinvragen de spoken uit zijn hoofd beslist niet kon verjagen en was opgestapt. De dokter had iets gemompeld over verdringing toen hij de deurknop al in zijn hand had. Dat het verdringingsmechanisme niet werkte, daar was hij na al die jaren zelf al achter gekomen.

Het was hem niet gelukt de pijnlijke beelden te laten slijten, ook niet door zichzelf keer op keer genadeloos ermee te con-

fronteren. Hij weet dat er jaren zijn geweest waarin de herinneringen zich zover lieten wegdrukken dat het leek alsof ze
zichzelf hadden opgelost.

Totdat hij zich door Tineke tot een museumbezoek had laten overhalen. Hij deed dat soort dingen met weinig plezier,
maar wilde Tineke tegemoet komen die zich zoals ze het zelf
noemde 'ontwikkeld' had, die 'gegroeid' was. Schilderijen waren voor hem tot dan plaatjes van bloeiende heide, of eiken-
bomenlaantjes met vergezicht geweest. Toch lieten de werken
waarover Tineke uitleg gaf hem niet helemaal onberoerd. Toen
ze hem had gewezen op de schoonheid van een piëta had hij
er aanvankelijk een gedachteloze blik op geworpen. Het volgende moment had hij een stomp in zijn maag gekregen die
hem letterlijk had doen wankelen. Starend naar het schilderij
was hij op een bankje gezakt. De naam van het schilderij zei
hem niets, maar het beeld van die wenende moeder sloeg hem
bijna letterlijk tegen de grond. Onder zijn ogen was geleidelijk
de moeder met kind op het schilderij vervaagd en de kale ach-
tergrond veranderd in een donkere jungle.

Hij wist dat hij daar in die jungle nooit een treurende moeder met haar zoon op haar schoot had gezien. Maar hij wist
ook zeker: ooit moet daar een weeklagende moeder zo haar
dode zoontje aan haar borst hebben gedrukt.

Dat zoontje dat lenig als een aap in de top van een meters
hoge boom was geklommen en zich daar door het dichte bla-
derdak aan het zicht had onttrokken.

Tijdens een verkenning was de gespannen aandacht van
hun peloton getriggerd door het onverwachte geritsel boven
hen. Na de eerste schrik waren ze balorig, om hun paniek te

89

camoufleren, een weddenschap aangegaan: wie het eerste die ritselende aap uit die boom zou kunnen schieten. Alle zes hadden ze aangelegd.

Hij weet niet meer wie als eerste schoot of hoeveel schoten er gelost werden, hij herinnert zich vooral de doffe klap van het neerkomende lichaampje en hun ontzetting – omdat ze nooit eerder een aapje met een lendendoek hadden gezien.

Dat hij dood was leed geen twijfel. Ze hadden elkaar onthutst aangestaard. Iemand was hysterisch begonnen te lachen en had een klap in zijn gezicht gekregen. Was hij degene die de klap kreeg of die hem uitdeelde? Of was er helemaal geen klap geweest? Hij weet het niet meer. Wel dat ze stilzwijgend besloten hadden om hem daar achter te laten. Een dood kind naar de kampong brengen zou immers gelijk staan aan zelfmoord.

Die ploppers moesten maar wat beter op hun kinderen letten. Ze hadden het die avond met z'n zessen op een zuipen gezet en gelald dat ze dronken als een Maleier wilde worden. Over het kind werd niet gesproken maar al op die avond wisten hun verdoofde geesten: ooit zal het zich wreken.

Na de confrontatie met de piëta had het incident zich vrij gevochten uit zijn gesloten geheugen om hem te belagen, wanneer en zo vaak als het wilde.

Een paar weken na zijn museumbezoek kaapten jonge Molukkers de trein bij Wijster.

Voorzichtig opent hij zijn ogen, als hij ziet dat Tineke haar blik op het raam heeft gericht sluit hij ze weer snel. Natuurlijk is hij blij dat ze er is, zoals ze er altijd voor hem is geweest,

maar haar woorden zijn nog steeds verpakt in woede en teleurstelling over zijn lot. En dat verdriet hem. Natuurlijk had
hij ook uitgekeken naar de toekomst van vrijheid die in het
verschiet lag. Vrije tijd waarin ze samen zouden (moeten)
gaan genieten van hun gepensioneerde leven. Nu de dood
voor hem had beslist hoefde hij zich niet meer af te vragen
hoe hij die lege dagen zou gaan vullen. Tineke daarentegen
bleef zich verzetten alsof ze rechten kon laten gelden, alsof het
leven haar nog iets verschuldigd was. Zijn voorstelling van er
niet meer 'zijn' is pijnloos. Maar afscheid nemen van Tineke
breekt zijn hart.

Door er van uit te gaan dat het gemis voor zijn jongens,
die zo druk met hun eigen leven bezig zijn, wel zal meevallen,
wordt zijn pijn enigszins verzacht. Spreken over hun vader zal
ongemerkt van tegenwoordige in verleden tijd overgaan. Zijn
kleinzoon, waarvan de vader – hun oudste zoon – nog aan-
doenlijk had geprobeerd hem het woordje 'opa' te ontfutselen
toen hij had vernomen van zijn ophanden zijnde vertrek, zal
hem alleen maar kennen als de man van de foto. De oude
man die op de foto onwennig de baby op zijn schoot houdt,
wachtend op het kereltje waarmee hij het eerste balletje kan
gaan trappen.

Hij voelt hoe hij weer wegzakt, afscheid nemen betekent voor
hem ook afscheid nemen van de pijn, van een lijf dat niet
meer als het zijne voelt. Afscheid van zijn afschuw van het
eten van vlees, hij een overtuigd carnivoor die de lucht ervan
niets eens meer kan verdragen. Afscheid betekent verlost worden van herinneringen die hij het liefst wilde laten oplossen

in geretoucheerde beelden. Van de dood wordt gezegd dat hij bij zijn komst een doos dia's voor het terugblikken meebrengt. Hij heeft de film van zijn leven zo vaak bekeken, hem zal niets meer kunnen verrassen.

Misschien had hij toch wat langer naar die zenuwarts moeten luisteren? Maar praten over zijn overleden moeder zou het hoofd van een van zijn kameraden ook niet terug op diens romp hebben gezet.

Als hij zijn ogen langzaam opent beroert Tineke met een voorzichtige kus zijn kale schedel. Een traan valt op zijn voorhoofd. Ze probeert een grapje te maken als ze naar het fruithapje op zijn kastje wijst. 'Proberen de dames je weer schandelijk te verwennen?'

'Niets wat die engelen liever doen. Je weet toch dat ik onweerstaanbaar ben.'

Ze legt haar hand tegen zijn wang en zegt: 'Ik weet dat je onvervangbaar bent.'

8

Het telefoontje had de onrust weer opgestookt. Een alledaags telefoontje van een collega die wilde informeren hoe het nu met haar ging. Lily vond het moeilijk te antwoorden. In de eerste plaats omdat liegen haar slecht af ging en in de tweede plaats omdat ze wist dat niet enkel naar haar staat van gezondheid werd geïnformeerd maar vooral ook naar haar inzetbaarheid. Het verloop van de aan zichzelf verleende adempauze dreigde nu van buiten af beïnvloed te worden. Maar misschien was het ook een teken voor haar om uit haar schuilplaats te komen. Haar verantwoordelijkheidsgevoel ging ook steeds zwaarder wegen. Wanneer er een vrijwilliger uitviel kon dat normaliter goed worden opgevangen maar met de huidige minimale bezetting van professionals was dat een stuk moeilijker. Aangezien ze besefte hoe zwaar ze haar collega's door haar afwezigheid belastte had ze gezegd dat ze zich alweer wat beter voelde en dat ze er aan dacht om komende week weer met een paar uurtjes te beginnen.

Ze had in de week dat ze nu thuis was telkens weer verschillende mogelijkheden de revue laten passeren. Haar gedachten waren almaar warriger geworden. Als uiterste ontkenning had ze zelfs de mogelijkheid open gehouden, dat meneer Janssen niet de man was voor wie ze hem aanzag.

Ook had ze overwogen om thuis te blijven totdat hij zou zijn gestorven. Maar ook die vluchtweg bood geen uitkomst. Ze wist immers dat de dood zo zijn grillige nukken kon hebben. De ene keer haalde hij een gast nog dezelfde dag waarop hij zijn intrek had genomen op, terwijl hij een ander soms, tegen alle verwachtingen in, pas na twee maanden opzocht.

Ze had zich proberen voor te stellen hoe het zou zijn als ze zich zo groothartig zou kunnen opstellen dat ze in staat zou zijn om hem te vergeven. Ze was er echter snel achter gekomen dat zich vastklampen aan zelfbedrog maar even werkt. Het omhulsel mocht dan wat verzwakt zijn, de kern was krachtig als de eerste dag.

'Hoe denk jij dat hij zal reageren?' vroeg ze op een avond toen ze allebei rustig zaten te lezen maar het boek haar aandacht niet langer kon vasthouden.

Paul prees zich gelukkig dat hij meteen begreep wie ze bedoelde. Soms overviel ze hem zo met haar onverhoedse vragen dat hij even in verwarring raakte. Nu wist hij dat het alleen maar kon gaan over de man die tegen haar wil was teruggekeerd in haar leven. Hij sloeg zijn boek dicht en antwoordde bedachtzaam: 'Dat kan niemand voorspellen. Jij kende ruim veertig jaar geleden een jongen maar over de man van vandaag weet je hoegenaamd niets. Is hij nog wel degene die jij kende?'

'Met Lily, ik wilde...'

De stem aan de andere kant onderbreekt haar blij verrast: 'Lily hoe gaat het, weer wat beter?'

'Ja, best wel, ik ben weer bijna de oude. Misschien kom ik vanmiddag nog wel even langs.'

'Dat zou fijn zijn, maar nog niet om te werken, je moet echt helemaal zijn opgeknapt.'

'Dat ben ik bijna, en een beetje hulp kunnen jullie altijd wel gebruiken. Is het druk? Hoeveel gasten zijn er nu?'

Ze houdt haar adem in. Nu mag haar geen enkel woord ontgaan.

'Even denken, wie er waren toen jij ziek werd? Die zijn er nog, er zijn geen nieuwe mensen bij gekomen.'

Ze moet op haar lippen bijten om niet schreeuwend te vragen 'Wie is er vandaag opgehaald?'

'Dus je bent van plan om vanmiddag langs te komen, en ons zelfs al weer een beetje te helpen?'

'Ja, dat is eigenlijk wel de bedoeling, maar ik wil inderdaad rustig aan beginnen. Ik zou bijvoorbeeld voorlopig alleen de kamers van 1 tot en met 3 kunnen doen.'

'Dat komt goed uit want dan heb je maar twee kamers, mevrouw Tervoort is namelijk vanmorgen gestorven.'

Het lukt haar op het nippertje om de opgeluchte zucht die wil ontsnappen tegen te houden en een meelevende toon aan te slaan.

'Oh... en zij leek me nou juist iemand die het nog wel even zou volhouden.'

'Dachten wij ook, maar je weet dat het vaak anders afloopt.'

'Ja, ja natuurlijk, ik probeer vanmiddag nog even langs te komen.' Haar stem is niet meer dan een zwak gemurmel.

Ze hangt de hoorn terug op de haak en stapt, gedwongen door de daarin opgehoopte hitte die haar naar verse lucht doet snakken, naar buiten. Hij leeft. Ze weet dat ze niet langer meer moet wachten. Het wordt tijd voor de ontmoeting.

10

De teerling is geworpen, denkt Lily, ik kan nu niet meer terug. Buiten de telefooncel koelt een zuchtje wind haar ver-
hitte gezicht. Het liefst zou ze even naar huis willen maar ze
weet dat daar de verleiding van uitstel weer loert. Ze stapt
in de auto, dept met een zakdoekje haar oksels en start de
motor.

Langzaam rijdt ze terug naar het hospice, als de begra-
fenisauto haar tegemoet komt haalt ze zich mevrouw Tervoort even voor de geest en wenst haar een goede reis. Zou
meneer Tervoort lang treuren, vraagt ze zich af, of was hun
band eerder verstikkend dan veilig geweest? In dat geval
hoopt ze dat hij de opluchting die zich snel zal aandienen
zonder schuldgevoel zal binnenlaten.

Hoe anders zal dat zijn voor de vrouw van Thieu. Tijdens
hun kennismakingsgesprek was het voor Lily duidelijk geworden hoe zwaar deze vrouw het had met het afscheid
nemen van haar man. De liefde van haar leven, een goede
man, een lieve vader had ze hem genoemd. Een man die het
soms ook moeilijk had gehad in zijn leven. Zij wist niet dat
haar man twee gezichten had. Zij had de oorlog de schuld
gegeven van zijn drankzucht. Zou het ook mogelijk zijn dat
schuldgevoelens hem hadden bezwaard? vraagt ze zich af.

Ze roept zichzelf tot de orde, er is geen enkele reden om dat te denken.

Een groter verschil dan tussen daderschuld en slachtofferleed bestaat immers niet.

Zij had Thieu's vrouw nota bene aangeboden om met haar vragen bij haar aan te kloppen. De ironie... Nu is zij degene die vragen wil stellen. Nog wranger is dat ze de belofte dat zij goed voor haar man zou zorgen, niet kan nakomen.

Als ze het huis binnenstapt wordt ze overvallen door een golf van weemoed. Hoe overzichtelijk was haar leven nog geweest toen ze hier de laatste keer nietsvermoedend naar binnen liep. De wereld kon zo maar kantelen.

Haar collega's begroeten haar opgetogen. Na een kop koffie laat ze zich even bijpraten over de afzonderlijke status van de gasten. Na de mededeling dat mevrouw Tervoort gisteren toch nog onverwacht was overleden, volgt de kleine roddel: dat wel was opgevallen dat meneer Tervoort niet zo diep bedroefd was geweest als zijn vrouw hoogstwaarschijnlijk had verwacht en gewenst.

Uiterlijk rustig en opmerkzaam luistert Lily naar de verdere verslagen over de gasten en hun familieleden. Van binnen schuurt en wringt haar ongeduld. Eindelijk vertellen ze over de gast van kamer 4, dat hij vooral niemand tot last wil zijn, dat ze hopen dat hij rustig zal mogen sterven, echt een lieve man. Vanmiddag krijgt hij andere pillen omdat zijn medicatie tot nu toe, die bedoeld was hem wat rust te gunnen, blijkbaar een tegenovergestelde uitwerking heeft. Hij lijdt gedurig aan waanvoorstellingen. Bovendien lijkt het erop dat hij de laatste tijd verstrooider begint te worden.

'Ik loop dadelijk misschien nog wel even bij hem binnen,' zegt Lily, naar ze hoopt met kalme stem.

'Je zou toch rustig aan beginnen en voorlopig alleen kamer 1 en 2 doen,' waarschuwt haar collega.

'Maak je maar niet ongerust, ik ga mezelf niet weer voorbij hollen,' belooft ze. Ze wil nu aan het werk en vooral in de buurt van hem blijven. Ze stelt haar collega's gerust en verklaart zichzelf snel genezen van haar voorgewende ziekte.

Op weg naar de huiskamer zet ze de deur van Thieu's kamer een stukje open met de bedoeling om een snelle blik naar binnen te kunnen werpen als ze zo dadelijk terugloopt. Maar voor ze verder kan gaan hoort ze hem vragen: 'Wilt u alstublieft de deur dicht maken?'

Zijn stem! Ze spitst haar oren. Maar de sensatie van herkenning blijft uit. Dat is natuurlijk helemaal niet zo vreemd na al die jaren, houdt ze zich voor. Zij heeft zelf ook niet meer die aanstellerige puberstem van dat zeventienjarige wicht. Wat ze zeker wel herkende in de breekbare stem was de zangerige intonatie, onlosmakelijk verbonden met het dialect uit hun geboortedorp. Besluiteloos blijft ze met de deurknop in haar hand staan, dan sluit ze de deur geluidloos.

'U bent er weer,' zegt een zachte stem achter haar. Verschrikt draait ze zich om en kijkt in de droeve ogen van Thieu's vrouw. Voordat ze kan antwoorden ontneemt een geestverschijning naast de vrouw haar de adem. Thieu! Als ze niet zeker wist dat die in zijn kamer op bed lag had ze aangenomen dat hij uit de bijna-dood was herrezen. Het evenbeeld van de jonge man die ooit haar hart veroverde en vertrapte staat hier voor haar.

Ze staart hem aan, langzaam begint haar geest te verwerken wat haar ogen waarnemen. Een herinnering die zich materialiseert. Dezelfde blauwe ogen, dezelfde glanzende bruine huid.

De vader woont in het gezicht van de zoon.

Sprakeloos volgt ze zijn hand als die zijn donkere haar naar achteren veegt en schrikt van de bijna griezelige overeenkomst aan motoriek. De blik in de ogen van deze mooie man mag dan zachter, niet zo uitdagend zijn, toch doet hij haar beseffen dat haar bevlieging van veertig jaar geleden onvermijdelijk was geweest.

'Dit is onze jongste zoon,' zegt de vrouw. Wezenloos neemt Lily de haar aangereikte hand. Ze bijt op haar lippen om de woorden 'dat is goed te zien' tegen te houden. Want hoe zou zij in deze knappe jonge man de kaalhoofdige man van kamer 4 kunnen herkennen?

'Gelukkig is hij nog op tijd om afscheid te nemen. Zijn vader heeft op hem gewacht,' fluistert de vrouw.

'Gaat u maar snel naar binnen,' zegt Lily met dunne stem en doet met gebogen hoofd een stap opzij, 'als u iets nodig heeft dan hoor ik het wel'.

'Dank u. Wij zijn...' De rest van hun dankbare woorden nemen ze mee naar binnen.

Verdwaasd loopt Lily naar de gezamenlijke huiskamer. Opgelucht stelt ze vast dat er geen gasten of familieleden zijn. Leunend tegen het buffet schenkt ze zichzelf een kop koffie in en hervindt langzaam haar evenwicht. Ze schaamt zich over de opluchting die ze voelde omdat nog eens werd bewezen dat ze dus veertig jaar geleden niet met een monster was meegegaan. Waarom toch blijven zoeken naar oorzaken? Natuurlijk was ze onnozel geweest maar dat maakte haar nog niet medeschuldig.

Zou zijn vrouw hem nog altijd een goede, lieve man noemen als ze alles van hem zou weten, vraagt ze zich af. Ze laat die suggestieve vraag onbeantwoord en roept zichzelf tot de orde, ze kan moeilijk zijn vrouw of zijn zoon ter verantwoording roepen.

Pas wanneer ze voelt dat ze zichzelf weer onder controle heeft besluit ze naar kamer 1 te gaan. Het is te verwachten dat ze daar op een mop zal worden vergast want meneer probeert ondanks zijn doodsverwachting nog altijd grappig te zijn. Hoogstwaarschijnlijk is hij jarenlang de feestganger op verjaardagen en partijtjes geweest en kan hij gewoon niet anders. Soms vindt Lily dat moeilijk omdat hij zijn grappen als instrument gebruikt om de onwelkome waarheid op afstand te houden. Toch speelt ze zijn spel mee en doet alsof ze verrast wordt door de flauwe clou. Ze hoort dat haar lach hol en onecht klinkt. Maar met welk recht zou zij mogen bepalen wanneer hij zijn optreden moet staken? Ze weet dat ze hem een groot plezier doet wanneer ze nu zegt: 'Deze moet ik aan mijn man vertellen.' Liegen voor de goede zaak noemt ze dat.

Als ze zijn hoofd voorzichtig ondersteunt om hem te laten drinken zegt hij met gespeeld sluwe stem: 'Als er jenever in dat glaasje zat hoefde u me echt niet te helpen.' Ze fabriceert weer haar namaaklach terwijl ze het kleine hoofd langer dan nodig in haar hand laat rusten. Ondanks dat ze even gaat zitten om naar een nieuwe grap te luisteren voelt ze zich schuldig als het haar niet lukt hem de volle aandacht te geven. De helft van haar wezen wolkt gedurig weg naar kamer 4. Het bestaat dus, denkt ze, dat je op twee plaatsen tegelijkertijd kunt zijn. Ze schrikt op als hem een hoest overvalt. Voorzichtig zet hem rechtop en spreekt hem kalmerend toe terwijl ze zijn sidderend lijf stevig ondersteunt. Langzaam verdwijnt de paniek uit zijn ogen. Als hij na een hele tijd in slaap sukkelt verlaat ze de kamer.

Moeke van kamer 2, weet Lily, verheugt zich op ieder bezoekje. Dat iedereen haar Moeke noemt dankt ze aan het aureool van liefheid dat haar omhult. Zij is hier al geruime tijd omdat ze een wees van vijfentachtig is. Buiten haar ouders heeft ze nooit andere familie gekend. Voor haar zullen ze hoogstwaarschijnlijk de hand gaan lichten met de voorgeschreven tijdslimiet van drie maanden die geldt voor het verblijf van terminale gasten in hun huis.

Het dieptepunt in haar eenvoudig levensverhaal was het verongelukken van haar verloofde. Doodgetrapt door zijn lievelingspaard. Ze is hem haar hele leven trouw gebleven. Voor iemand anders kiezen stond voor haar gelijk aan bedrog. Haar liefde had ze gebruikt om haar leven lang voor anderen te zorgen waarmee ze tegelijkertijd het gemis aan familie en geliefde had gecompenseerd. Toen ze zelf hulp nodig had bleken er weinig van het arsenaal vrienden 'bereid en in staat' tot mantelzorg. Gelukkig had haar huisarts, die haar situatie goed kende, ingegrepen. Hij had hen verzocht haar al in een vroeg stadium op te nemen in het hospice zodat ze in ieder geval menswaardig zou mogen sterven.

Lily weet dat ze zich hier geborgen voelt. Ze heeft haar eindigheid aanvaard en zich inmiddels op serene wijze onthecht. Een vergeelde foto van haar verloofde, zijn gedachtenisprentje, een staatsieportret van haar ouders en een tekening van een kleine boerderij zijn de laatste tastbare herinneringen aan het leven dat achter haar ligt.

Het hoort bij haar ritueel dat ze eerst naar zijn foto wijst en zegt: 'Ik heb mogen ervaren wat echte liefde is,' en vervolgens met een weemoedige blik gericht op de wat verzakte boerderij fluistert: 'Daar was ik gelukkig, mijn ouders waren lieve mensen' en daarna een anekdote vertelt uit haar vroegste kindertijd. Vandaag blijft dat ritueel achterwege omdat ze naast het bed de talloze kaarten op haar commode staat te schikken (dat doen de vrienden wel, kaartjes sturen).

'U bent er weer!'

De blijdschap in haar stem vervult Lily met een lichte gêne. Ze zal nu niet meer mogen wegzweven.

'Ze zeiden dat u een beetje overwerkt was.'

Ze legt haar hand op Lily's arm en zwenkt haar hoofd zover mogelijk achterover zodat het haar lukt haar aan te kijken: 'Het wordt u toch niet te zwaar? U hebt toch geen zorgen?'

'Nee, hoor helemaal niet,' haast Lily zich haar gerust te stellen.

'Nee, hoor,' herhaalt ze nog maar eens nadrukkelijk, Moeke zou nog in staat zijn om zich om haar zorgen te gaan maken, 'Hoe gaat het met u?'

Ze glimlacht haar fijntjes toe. Een plagende glimlach die duidelijk zegt: dat is vragen naar de bekende weg.

'Ik wil graag even naar buiten, als u daar tenminste tijd voor heeft.'

'Natuurlijk, heb ik tijd, voor u altijd,' antwoordt Lily met een groot gebaar.

'Wilt u in de stoel of wilt u proberen...'

'Laat ik vandaag maar eens flink doen en proberen een stukje te lopen.'

Voorzichtig slaat Lily een omslagdoek om de iele schouders.

'Is dat echt nodig? Het is toch lekker weer.'

'Jawel, maar het is toch beter want anders...'

Abrupt zwijgt ze maar een gemoedelijk kneepje in haar arm geeft aan dat ze zich niet betrapt hoeft te voelen. Lily verbaast zich over de kracht die nog in dat uitgeteerde lijfje schuilt als ze haar arm inhaakt.

Ze leunt even tegen Lily aan en zegt plagend: 'Want zonder omslagdoek zou ik wel eens ziek kunnen worden. Lieve, lieve mevrouw, zorgen om mijn gezondheid hoef ik me gelukkig niet meer te maken. Dankzij jullie mag ik nu zorgeloos zijn, en hoef ik niet alleen te vertrekken. U weet, ik ben niet bang voor wat me hierna te wachten staat, maar wel heel erg nieuwsgierig, misschien komt mijn geliefde me wel ophalen.'

'Hij wacht u beslist op bij de hemelpoort.'

'Waar hij staat maakt me niet uit, maar het zal een godsgeschenk zijn als hij er is.'

'U heeft altijd zoveel voor anderen gedaan, ik zou het...'

Ze onderbreekt haar: 'Ik heb nooit iets gedaan om er iets voor terug te krijgen, het heeft mezelf veel plezier gegeven.'

Natuurlijk, zij was een kind van vóór het 'ik-tijdperk'; de slogan 'voor wat hoort wat' was haar vreemd.

Moeke gidst haar schuifelend naar de bank onder de magnolia.

'Kunnen we hier even gaan zitten?'

'Natuurlijk, als u dat graag wilt.'

'Onder de magnolia zitten, klinkt dat niet romantisch?' mijmert ze.

'Ja, jammer dat hij niet meer bloeit.'

'Hij is nog steeds mooi,' wijst ze haar met belerende stem terecht.

Lily zucht. 'U hebt altijd zoveel mensen geholpen' – een statement verpakt als vraag.

'Natuurlijk heb ik ook wel eens de pijn van de teleurstelling geproefd' antwoordt ze, fijntjes kenbaar makend dat ze weet waarop Lily zinspeelt. Inderdaad vindt Lily dat Moeke met een beetje hulp van oude vrienden, die mensen waren toch schatplichtig, in haar eigen huisje had kunnen blijven.

'In de loop der jaren heb ik geleerd dat mensen je nooit echt met opzet pijn willen doen, meestal komt het door onvermogen of onwetendheid.'

Tien dagen geleden, toen Thieu nog achter een verre horizon verbleef, zou Lily deze stelling met overtuiging hebben onderstreept, maar nu verwart hij haar. Opzet... opzet... zou ze het zo kunnen noemen? Onvermogen? Onwetendheid? Dat in ieder geval niet. Hij had verduveld goed geweten wat hij deed. Maar opzet? Paul zou daar beslist een juridische uitleg op loslaten zoals: 'met de duidelijke bedoeling vooraf', of 'willens en wetens' en hij zou haar ervan weten te overtuigen dat van opzet zeker geen sprake was geweest. Daarom zou ze deze stelling ook niet aan Paul voorleggen.

'Als het echt nodig was om afscheid te nemen heb ik dat altijd *sans rancune* gedaan. Tenslotte heb ik zelfs de merrie moeten vergeven. Zij bleef met haar beeld steeds weer mijn herinneringen verstoren. Nadat ik haar had vergeven kon ik weer zuiver aan de mooie tijd met mijn geliefde terug denken. Vergeven maakt gelukkig.'

De laatste woorden wil Lily niet gehoord hebben.

'Moet ik om zo wijs als u te mogen worden ook eerst zo oud als u worden?' verzucht ze.

'Oud en wijs, wat betekent dat nu helemaal? Je kunt ook oud, grijs en chagrijnig worden. En dan dat cliché van 'moeten genieten'. Hoe doe je dat, verplicht genieten? Levensvreugde, of misschien nog beter levenslust, die heb je nodig om oud en wijs te eindigen.'

'Is het echt zo simpel?'

'Zo simpel is het inderdaad.'

11

Zo simpel. Lily wil dat graag geloven want aan levenslust ontbreekt het haar beslist niet. Toch zit haar leven op dit moment te gecompliceerd in elkaar om de onrust die haar beklemt met levensvreugde te kunnen verdrijven.

Voorzichtig tilt ze Moeke weer in bed. 'Morgen weer een wandelingetje maken?'

Moeke knikt dankbaar: 'Graag, als 't God blieft.'

Zo simpel; levenslust en geloof in God, het maakt haar bijna jaloers.

Terwijl ze nog even in gedachten verzonken bij de gesloten deur staat ziet ze vanuit haar ooghoek Thieu's vrouw haar richting uit komen. Ze roept zichzelf tot de orde en maakt ruw korte metten met de drang om te vluchten. Waarheen, maar vooral waarom?

'Mijn zoon wil graag alleen zijn met zijn vader, misschien kunnen wij ondertussen samen koffie drinken,' zegt ze hoopvol.

'Ik moet nog even iets regelen, daarna kom ik direct,' antwoordt Lily.

Ze loopt naar kantoor en neemt volkomen overbodig een stapel tijdschriften op terwijl ze koortsachtig probeert de vraag te beantwoorden: wil ik dit wel? Weer naar verhalen over haar 'goede' man luisteren? Het antwoord is eenvoudig en snel te geven: Ja, dat wil ze. Zelfs als ze misschien pijnlijke zaken te horen krijgt die ze liever niet wil weten.

De nieuwe edities liggen er al, ziet ze als ze de bladen in de huiskamer op de leestafel wil leggen. Ze schenkt twee koppen koffie in en neemt plaats tegenover Thieu's vrouw. Voordat ze een slok neemt zegt die: 'Zullen we elkaar maar tutoyeren? Ik heet Tineke.'

Ondanks dat ze weet dat ze nu de geldende regel, gepaste afstand te bewaren, overtreedt noemt ze haar naam.

'We hadden gespaard om komend najaar onze jongste zoon te gaan bezoeken in Afrika. Thieu houdt niet zo van reizen maar hier verheugde hij zich op. Dat weet ik zeker, ook al zegt hij dat niet met zoveel woorden.'

Peinzend, alsof ze een verre herinnering moet ophalen, terwijl ieder woord in haar geheugen staat geprent, vraagt Lily: 'Uw man is toch al niet zo'n prater?'

'Nee, en dat is heel erg spijtig.'

Zich ervan bewust dat ze vragen dient te stellen alsof het een anoniem iemand betreft vraagt Lily:

'Was uw man dienstplichtig soldaat?'

'Nee, hij heeft zich vrijwillig aangemeld. Hij kwam uit een groot, arm gezin, ze konden zijn soldij goed gebruiken.'

'En nu lijdt uw man onder schuldgevoelens?'

'Ik weet zeker dat hij zelf nooit iets fouts heeft gedaan. Daarvoor ken ik mijn man veel te goed.'

Met grote moeite weet Lily het duiveltje dat de cynische wedervraag – Denkt u dat echt? – wil stellen de mond te snoeren. Ze mag deze aardige vrouw het heilige geloof in haar man niet ontnemen.

'Ik ben ervan overtuigd dat mijn man dat wat hij gezien en doorstaan heeft nooit heeft kunnen verwerken. Toen ik hem een keer voorhield dat het tegenwoordig heel normaal is dat soldaten die terug komen uit een oorlog hulp kunnen krijgen, mompelde hij alleen maar: 'Onzin, dat was in mijn tijd ook niet.' Ik heb toen gezegd dat hij, als hij hulp zou zoeken, misschien die drank niet nodig had.'

Ze begint zachtjes te snikken, 'Dat was gemeen van me, daar heb ik nu vreselijk veel spijt van.'

Met een naar ze hoopt neutrale stem vraagt Lily:

'Kan er buiten die oorlog misschien iets anders zijn dat hem dwarszit?' Ze voelt hoe het gewicht van de gewaagdheid van die vraag de schijnbare rust die ze uitstraalt ondermijnt.

'Ik kan niets anders bedenken.'

'Misschien iets uit zijn jeugd?'

'Hij heeft altijd gezegd dat hij een gelukkig jeugd heeft gehad. Het gezin was groot en arm, maar cr was veel zorg voor elkaar.'

'Hoe oud was hij toen u hem leerde kennen?'

Even verdrijft een herinnering het verdriet en glijdt een gelukzalige glimlach over haar gezicht.

'Hij was drieëntwintig en ik eenentwintig. Het was liefde op het eerste gezicht. Ik had nog nooit zo'n knapperd gezien. Dat kunt u zich nu natuurlijk niet voorstellen. Maar u heeft zojuist onze zoon gezien. Nou, zo zag Thieu er ook uit toen ik hem voor het eerst zag. Hij was wel wat stil, bijna teruggetrokken zou ik nu zeggen en heel erg serieus. Tegenwoordig noemen ze dat geloof ik 'een oude ziel.' Maar hoe ik Thieu heb leren kennen, dan zou ik dus moeten beginnen met: op een zonnige dag... Maar voor ons was de regen juist de geluksbrenger. Hij stond te schuilen onder de luifel van de groentewinkel waar ik naar toe vluchtte nadat ik was overvallen door een stortbui. Ik zag er niet uit!' Ze glimlacht weemoedig. 'Je kent dat wel: een petticoat die verlept tegen je benen plakt, haar dat de hele nacht netjes in de papillotjes heeft gezeten en nu in slierten langs je hoofd hangt, je kunt je voorstellen hoe ik me voelde.'

Lily wil zich niets voorstellen, ze wil eigenlijk ook niets meer van Tineke's belevingen en mislukte petticoats weten.

'Ik heb nog nooit zo hard gebeden dat het zou blijven regenen,' zegt Tineke met een ondeugende stem. 'Cupido moet mijn gebeden wel hebben gehoord want na een tijdje vroeg Thieu of ik zondag met hem naar de bioscoop wilde. Ik weet van die film alleen nog maar dat John Wayne de hoofdrol speelde en dat wij heel veel hebben gekust.'

'Dus jullie waren voor elkaar bestemd,' zegt Lily met een matte stem.

'Ja, voor honderd procent. Een jaar later zijn we getrouwd. Dat kon zo snel omdat mijn vader, die kerkmeester was, met de pastoor had geregeld dat wij een huurwoning konden krijgen. Dat was in die tijd van woningnood nog niet zo vanzelfsprekend. Toen ik Thieu leerde kennen woonde hij bij zijn zus op de boerderij. Waarom dat was weet ik eigenlijk niet eens.'

Ze fronst even haar voorhoofd, schudt haar hoofd en herhaalt: 'Dat weet ik inderdaad niet, zijn zus heeft wel eens iets gezegd over een akkefietje in het dorp, meer weet ik niet en eerlijk gezegd interesseert het me ook niet.'

Lily probeert met een diepe zucht haar verontwaardiging weg te slikken. Zo werd zij dus genoemd! Ze weet nog hoe weinig indruk de triomf van haar moeder, 'Hij moet uit het dorp verdwijnen,' toentertijd op haar had gemaakt. Dat hij uit het dorp werd verbannen had haar geen genoegdoening geschonken. Met moeite verdringt ze de wraakzucht die zich aandient. Een akkefietje!

'Misschien moet uw man wel een keer biechten.'

'Dat heb ik ook al voorgesteld, als je dan niet met mij wilt praten, spreek dan eens met een priester. Hij werd alleen maar heel erg kwaad. Hij heeft nooit veel opgehad met de kerk.'

Lily probeert haar stem van geïrriteerd naar meelevend te buigen voordat ze vraagt: 'Is uw man ooit terug geweest naar Indonesië?'

Ze verontschuldigt zich meteen als ze de verbaasde blik van Tineke ziet.

'Ik bedoel,' hakkelt ze, 'soms hoor je wel eens... ik bedoel... soms helpt het als iemand terug gaat naar de plek des onheils... maar soms...'

'Nee, Thieu heeft nooit meer iets willen weten, zien of horen over Indonesië. In het begin van ons huwelijk klaagde hij er nog wel eens over dat ik te flauw kookte, ik heb hem toen wel eens voorgesteld om bij een Indonesisch restaurant te gaan eten, maar daar wilde hij niets van weten. Na een tijdje was hij weer gewend aan mijn Hollandse pot.'

'Mam, kun je even komen?'

Opnieuw schrikt Lily van de aanblik van de zoon die plotseling in de deuropening verschijnt. Wanneer hij haar vragend aankijkt en zegt: 'Misschien kunt u ook even meekomen,' raakt ze in paniek.

'Pap verslikt zich telkens en hij praat steeds met oma.'

'Ik zei al dat hij steeds verwarder wordt,' zegt Tineke, die gehaast opspringt.

Lily die zich nerveus afvraagt wat ze moet doen wordt op weg naar de kamer gered door haar collega die haar fluisterend herinnert aan haar belofte het rustig aan te doen. Tegelijkertijd zegt ze geruststellend tegen Tineke: 'Ik ga even met u mee.'

Schoorvoetend loopt Lily toch achter hen aan maar als ze bij Thieu's kamer aankomen wordt de deur nadrukkelijk voor haar neus gesloten. Wezenloos loopt ze verder de gang in.

Voordat ze er erg in heeft staat ze in Moekes kamer. Die tilt even haar hoofd op en zegt dan met vermoeide stem: 'Ik wil nu even mijn ogen dicht doen.'

'Doet u maar rustig, ik kom alleen maar even bij u zitten.'

Ze schuift de stoel bij het bed en streelt voorzichtig het twijgachtige armpje. Voor even is deze kamer de schuilplaats die haar de kans biedt om ongestoord na te denken. Er is geen tijd meer voor uitstel. Ze zal eerlijk moeten antwoorden op de vraag wat ze nu wil, of misschien nog belangrijker, wat ze nu kan.

12

Wanneer Lily later bij haar collega naar informatie haakt krijgt ze niet meer te horen dan dat 'meneer Janssen inderdaad af en toe wat afwezig is en dat het verslikken hoort bij de buien van benauwdheid die hem overvallen'. Wel wil haar collega nog kwijt dat volgens haar indruk de lijdensweg van meneer Janssen nog wel even kan duren. Vervolgens haalt ze in een hulpeloos gebaar haar schouders op en zegt: 'Maar je weet, onze indruk klopt niet altijd.'

Wanneer Tineke op weg naar huis bij de achterdeur bijna tegen Lily opbotst zegt ze: 'Mijn man slaapt, wij gaan naar huis, maar u weet, als het nodig is zijn we binnen de kortste keren weer hier. Morgenvroeg halen we onze oudste zoon eerst op. Hij probeert onze kleinzoon mee te nemen. Misschien zijn we dan iets later.'

'Gaat u maar rustig naar huis, ik zal geregeld bij hem binnenlopen.'

'Maar u moet toch nog kalm aan doen?'

'Het verzorgen moet ik inderdaad nog even aan mijn collega's overlaten maar wat aandacht schenken is echt niet verboden.' Ik zal mijn collega's ervan moeten overtuigen dat ik best al een hele dag kan werken, denkt ze.

'Straks komen misschien nog broers of zussen van Mathieu maar als het te druk wordt stuurt u ze maar rustig weg. Ik heb gezegd dat ze niet met teveel tegelijk mogen komen,' drukt Tineke haar nog op het hart.

'Wij zullen er goed op letten.'

Een half uur nadat ze is vertrokken opent Lily voorzichtig de kamerdeur van Thieu en wacht met kloppend hart op zijn verzoek om die deur weer te sluiten. Wanneer dat verzoek uitblijft haalt ze opgelucht adem, hij slaapt dus. Op kousenvoeten glipt ze naar binnen en staat twee stappen verder aan het voeteneind van zijn bed. Het eerste dat opvalt, is dat Tineke de kamer royaal met haar eigen geur heeft besprenkeld, maar dat de geur van de aangekondigde dood zich niet makkelijk laat verdringen. Als ze een eerste blik op hem werpt wordt ze een fractie van een seconde overvallen door het idee dat ze zich vergist en dat het hoopje ellende in bed onmogelijk de vent kan zijn die haar ooit met brute kracht overmeesterde.

Een man verworden tot kind. Zijn borst stoot met kleine tussenpauzes adem uit. Hij lijkt eerder een koortsachtige kleuter die naar adem hapt dan een volwassen man. Een slijmerig sliertje dat uit zijn rechtermondhoek zevert maakt de ontluistering compleet. Deernis verdringt de walging die ze voor deze man zou moeten voelen. Ze probeert afstand te bewaren maar wanneer ze ziet dat een stuiptrekking van pijn zijn gezicht verkrampt, is hij voor een moment niet meer dan een hulpbehoevende.

Zijn handen, vingers, die bijna als losse onderdelen machteloos op de sprei liggen vervullen haar wel met afkeer. De wijs- en middelvingers zijn geel van nicotine en de nagels zijn afgekloven. Ze schrikt op als er een pruttelend geluid uit zijn keel opwelt. Ondanks dat haar hart tegen haar borstkast hamert weerstaat ze verleiding te vluchten. Ze prevelt een schietgebedje dat niemand hier onverwachts naar binnen zal stappen. Ze wil niet worden betrapt. Maar waarop zou ze worden betrapt? Op het staren naar een doodzieke man? Dat is vreemd maar niet verboden.

In een poging zich niet te laten misleiden door compassie sluit ze even haar ogen en probeert de bedlegerige te laten verdwijnen om plaats te doen maken voor de robuuste man die hij ooit was. Verschrikt opent ze weer snel haar ogen als het gezicht van zijn zoon voor haar opduikt.

Ze verstijft als hij haar op datzelfde moment hologig aankijkt. Ook al is zijn blik troebel, hij treft haar midden in haar ziel. Ze voelt haar hele wezen verkillen.

'Tineke...?' Zijn stem is niet meer dan een schurend geluid. 'Tineke...?'

Zij blijft roerloos staan en zegt met strakke stem: 'Ik ben Tineke niet, ik ben Lilian.'

Met een lichte beweging van zijn hoofd laat hij haar weten dat hij haar niet begrijpt.

'Ik werk hier.'

'Ik ken u niet...'

Ze doet een stap opzij, draait haar hoofd van hem weg en schreeuwt zonder geluid tegen de witte muur: 'Leugenaar, leugenaar, ik ben je *akkefietje*.'

Hij kreunt zachtjes. 'Wilt u iets voor me doen?'

In haar beleving duurt het een eeuwigheid voordat ze antwoordt maar uiteindelijk wint het medelijden.

'Wat moet ik doen?'

Ze ontkomt er niet aan, wil ze hem verstaan dan zal ze dichterbij moeten komen. Ook dat gevecht duurt weer luttele seconden maar de smekende blik in zijn holle ogen vermurwt haar.

'Kunt... u me... even rechtop zetten.'

Geschrokken deinst ze terug en denkt: dat kan ik niet... dat kan ik niet... hem aanraken.

'Ik ga hulp halen,' mompelt ze en verlaat gehaast de kamer.

'Meneer van kamer 4 moet even geholpen worden,' zegt ze dwingend tegen de vrijwilligster die brood staat te smeren.

'Dat doe ik dadelijk wel even.'

'Ik heb liever dat je het nu meteen doet.' Onmiddellijk heeft ze spijt van de toon die ze aanslaat. Gaat ze door zijn schuld nog een beetje vervelend doen tegen deze aardige vrouw.

'Doe het maar als het je uitkomt,' zegt ze met beschaamde stem. 'Ik ben een beetje moe, ik denk dat ik nu beter naar huis kan gaan.'

'Ja, dat zou ik maar doen,' met een lichte tik op haar arm laat ze blijken dat ze Lily haar commandotoon al heeft vergeven, 'ik ga nu wel even kijken.'

In de auto op weg naar huis bestookt ze hem met retorische vragen. Ze zet hem voor het blok en dwingt hem te reageren. Tegenwerpingen accepteert ze niet. Zijn antwoorden stemmen haar niet tevreden. Zelfs als ze hem laat verklaren 'Je hebt gelijk, ik heb me misdragen, ik heb spijt' ontlokt haar dat enkel een verachtelijk snuiven. Wanneer hij tenslotte weigert de naam van die bewuste vriend prijs te geven stopt ze abrupt deze heilloze discussie. Ze is kwaad, niet alleen op hem maar ook op zichzelf omdat ze toen ze aan zijn bed stond ambivalente gevoelens toeliet. Haar vermoeide geest verlangt naar rust.

Thuis wordt snel duidelijk dat Paul haar al een tijdje bezorgd opwacht. Zonder iets te zeggen leidt hij haar voorzichtig naar het terras. Ze laat haar lichaam zwaar in haar lievelingsstoel zakken en koestert haar gezicht nog even in de late zonnestralen.

Met behoedzame stem vraagt hij: 'Ben je weer aan het werk gegaan?'

'Ja.'

'Vanmorgen wist je dat nog niet.'

'Nee, maar in de loop van de dag ben ik tot de conclusie gekomen dat thuis blijven geen optie meer voor me is. Misschien wordt het nog pijnlijk maar die prijs moet ik dan maar betalen.'

'En?'

'Wat en?'

'Ik bedoel, heb je hem gezien, heb je hem gesproken?'

'Natuurlijk niet! Wat denk je wel, dat ik zo maar naar hem toe kan gaan en zeggen, 'Ik wil je even spreken, ik heb nog een appeltje met je te schillen?'

'Rustig maar, je weet dat ik dat ook niet bedoel. Ik weet soms sowieso niet meer wat ik wel en niet mag vragen.'

Ze zucht, haalt in een hulpeloos gebaar haar schouders op en wijst naar de reisgidsen op het tafeltje naast haar, 'reisje naar Berlijn?'

Ze weet dat Paul sinds vorig jaar de Muur is gevallen maar één wens heeft; naar Berlijn. Toen hij in West-Berlijn studeerde heeft hij ook Oost-Berlijn bezocht en kennis kunnen maken met het rigide systeem. Ze weet dat hij zich toen heeft geschaamd voor zowel de opdringerige rijkdom van het Westen als voor de rauwe armoede van het Oosten. Direct na de val van de Muur heeft hij aangekondigd dat hij de stad opnieuw wil bezoeken om met eigen ogen zien hoe die vrije Berlijners hun vrijheid vieren.

'Ja, ik heb alvast wat informatie gehaald.'

'Gezellig naar Berlijn, maar voorlopig kan ik nog even niet mee, ik moet eerst nog een akkefietje regelen,' zegt ze smalend.

'Een akkefietje?' vraagt hij voorzichtig.

'Ja, zo word ik genoemd,' tartend kijkt ze hem aan, 'dat had je niet gedacht.'

Hij ziet dat ze vecht tegen opkomende tranen, voorzichtig reikt hij haar een glas wijn aan.

'Er is er maar een die jou mag benoemen en die doet dat, zoals je weet, met hoogachting.'

Ze geeft zich gewonnen. Geluidloos ontsnappen tranen uit haar ogen om via een lange weg over haar gezicht uiteindelijk in haar hals te eindigen. Een enkele springt zelfs brutaal in haar glas.

'Nu zal de wijn wel een beetje zout smaken... *extra grand cru*,' ze huilt en lacht tegelijkertijd.

De stevige arm die Paul om haar heen slaat zorgt ervoor dat ze in volle hevigheid losbarst. Tussen het snikken door geeft ze uitleg over wat ze heeft gehoord.

'Het ergste is dat ik zelfs even medelijden met hem had. Maar ik kan hem echt niet aanraken,' ze schreeuwt het bijna uit.

'Dat hoef je ook niet,' probeert Paul haar te sussen.

'Ik snap niet dat zijn vrouw zich nooit heeft laten informeren over dat 'akkefietje'. Ik zou het meteen hebben willen weten als zoiets van jou zou worden gezegd.'

'Jij wilt nu eenmaal altijd graag weten wat mensen beweegt.'

'Hij is ook nog opa,' zegt ze op beschuldigende toon, 'hij heeft een kleinzoon.'

'Lily zo gaat dat in het leven; mensen krijgen kinderen en kinderen krijgen weer kinderen. Van kinderen neem je afscheid maar voor een kleinkind verdwijn je gewoon. Dat zal zijn afscheid extra zwaar maken,' verzucht hij.

Ze merkt dat zijn meelevende toon haar niet irriteert, vermoeid zegt ze: 'Zijn vrouw is best een aardige vrouw maar dat heeft er natuurlijk helemaal niets mee van doen. Ik weet ook niet waarom ik dat zeg.'

'Omdat de combinatie van die man met een aardige vrouw je in verwarring brengt.'

Ze kan niet ontkennen dat de gesprekken met Tineke inderdaad voor nog meer verwarring zorgen. Ze wil rust, ze wil haar kalme leven terug. Ze weet dat dat maar op één manier kan. Na de lichte verdoving van het tweede glas beslist ze: ze zal hem aanspreken, ze zal zich kenbaar maken. De vraag blijft alleen: Hoe en wanneer?

13

De volgende morgen stapt ze opnieuw aarzelend zijn kamer binnen. Zijn hoofd wordt ondersteund door een paar kussens zodat hij, zelfs als hij slaapt, praktisch rechtop zit. Hij kijkt haar even vragend aan als ze zwijgend plaatsneemt op de stoel naast zijn bed en verbaast haar door na een korte stilte haar naam te noemen: 'Lilian, mijn vrouw zegt dat ze u Lily noemt, of zijn jullie met z'n tweeën?'

Ze probeert haar droge keel glad te slikken. 'Lily is mijn roepnaam.'

Gespannen kijkt ze of haar antwoord iets verandert aan de uitdrukking van zijn gezicht.

'Mooie naam.'

Nerveus wacht ze af of hij nog meer zal zeggen maar zijn wazige blik blijft onbewogen. Het is duidelijk: geen herkenning, ook het noemen van haar naam heeft niets opgeroepen. Zij bestaat niet meer in zijn herinneringen.

Hij staart over haar heen. Er valt een diepe stilte.

'Ik kom u een beetje gezelschap houden,' zegt ze als ze inziet dat zwijgen voor hem een bijna natuurlijke staat is.

'Hoeft niet.' Hij kijkt haar met een afwijzende blik aan.

'Waarom niet?'

'Ik ben geen leuk gezelschap.'

'Dat weet ik.'

Dat de dubbelzinnigheid van haar antwoord hem ontgaat verrast haar niet. Hij is onverschillig, bijna apathisch voor zijn omgeving. Pijn vraagt zijn aandacht.

Ze haalt een paar keer diep adem en zegt dan: 'Ik wil even over vroeger met u praten.' De woorden komen bijna hijgend uit haar mond.

'Wil ik niet...'

Voordat ze verder kan gaan raakt hij in een hoestbui.

Met hulp van de bedsteun haalt ze hem nog iets meer omhoog en drukt een glas water in zijn beverige handen. Wanneer hij hevig trillend het water over de glasrand morst neemt ze zonder nadenken het glas en zet het voorzichtig aan zijn mond. Hij kijkt haar even dankbaar aan en zakt vervolgens weer uitgeput terug in de kussens.

In de wetenschap dat ze nooit meer in deze kamer terug zal komen wanneer ze er nu uit loopt raapt ze haar laatste restje moed bij elkaar en wacht tot zijn adem weer wat rustiger wordt.

Veel tijd gunt ze hem niet.

'Moet ik het raam niet sluiten?' Door een algemene vraag te stellen hoopt ze haar normale stem weer terug te vinden.

'Doe maar.'

Ze neemt haar plek weer in en zegt opnieuw: 'Ik wil even met u over vroeger praten.'

'Ik niet.'

'Misschien kunnen we over de oorlog praten.'

'Welke oorlog?'

'U hebt toch in Indonesië gediend?"

'Ja.'

'Er was toch feest toen u terugkwam?'

Hij snuift verachtelijk. 'Een feest, ja, ja een feest.'

Dan sluit hij zijn ogen weer. Dat wil ze niet, ze wil zijn ogen zien als ze de volgende vraag stelt, ze wil zien hoe hij reageert.

Ze slaakt een diepe zucht en zegt dan met een harde, duidelijk stem: 'Ik was bij dat feest.' Ze houdt haar adem in, hij kijkt haar even aan terwijl zij wacht op zijn reactie. Maar in plaats van herkenning ziet ze dat zijn blik wegzweeft naar een wereld die hem heel andere beelden schenkt. In een machteloze poging om zijn wegglijden tegen te houden zegt ze opnieuw en harder: 'Ik was bij dat feest, ik was in het dorp... Weet je dat niet?' Ze hoort hoe wanhopig haar stem klinkt als ze uiteindelijk vraagt: 'Ken je me niet?'

Ze voelt dat de vraag blijft hangen aan een snoertje dat elk moment kan breken. Onder zijn gesloten oogleden ziet ze zijn oogballen onrustig heen en weer bewegen. Na een tijdje murmelt hij met een kleuterstem: 'Thomas, Thomas heeft feest vandaag, hij krijgt van opa een mooie voetbal. Straks gaat opa met je voetballen.'

Even voelt ze de neiging om hem bij zijn schouders te pakken en door elkaar te schudden. Hij houdt haar voor de gek, hij heeft haar herkend en probeert zo van haar af te komen. Maar als ze zijn handen zoekend over de sprei ziet gaan weet ze dat hij inmiddels in een andere staat van zijn verkeert.

In een opwelling springt ze op om te vertrekken maar in

die beweging komt ze al weer terug op die beslissing. Voordat een gevoel van vergeefsheid haar dreigt te verlammen spreekt ze zichzelf vermanend toe. Ze mag nu niet verzaken, ze heeft een missie. Na een korte twijfel neemt ze haar besluit, als hij niet mét haar wil praten dan zal zij tégen hem praten. Ze zal pas weggaan nadat ze heeft gezegd wat ze kwijt wil. Ze weet dat mensen, ondanks dat ze niet bewust aanwezig zijn, soms toch verstaan wat er gezegd wordt. Zoekend naar de juiste woorden begint ze schoorvoetend te praten. Ze hoort dat de woorden, die zolang opgeborgen waren, nu ze uitgesproken worden haar stem zwak en onzeker doen klinken.

'Jij kent mij niet meer, maar ik jou wel. Ooit was ik jong en ... vooral onnozel. Jij was toen zeker niet onnozel. Jij was vooral mooi en rook naar avontuur. Alle meiden wilden jou, maar jij koos mij. En ik onnozel wicht, ik voelde me de uitverkorene.'

Ze voelt tranen steken bij de herinneringen die door de uitgesproken woorden zo levendig worden. Ze weigert te huilen.

'Wij gingen samen weg om te vrijen.'

Ze schrikt als zijn hoofd naar voren schiet en hij zijn ogen openspert.

'Tineke moet komen... ik wil niet vrijen... Tineke...'

Ze probeert zijn blik te vangen maar zijn ogen schieten op en neer. Opnieuw onderdrukt ze de neiging om toch op te staan en weg te gaan. Ze zal spreken en hij zal luisteren ook als hij haar misschien niet verstaat.

'Ik wilde vrijen, niet verkracht worden.'

Hij ademt amechtig en laat zijn blik op haar rusten maar ze weet dat hij haar niet ziet.

'Tineke moet komen,' fluistert hij nog en dan zakt hij weer weg.

'Wij hebben gevreeën maar toen jij meer wilde en ik niet, heb jij...' ze slijpt haar stem; 'toen heb je me verkracht.'

Een droge snik schiet uit haar borst omhoog, maar ze wil niet stoppen met praten. Vreemd genoeg voelt ze bij alle pijn en spanning een gevoel van opluchting.

'En of het nog niet verschrikkelijk genoeg was, maakte je ook nog eens een slet van me door een vriend te laten zeggen dat hij jou voor was geweest. Terwijl jij wist... het me zelfs verweet... Ik was nog maagd. Je was een klootzak.'

Tot haar eigen verbazing schreeuwt ze niet maar hoort ze hoe ze die harde woorden met een beheerste stem uitspreekt. Ze merkt dat het gevoel van opluchting steeds sterker wordt. 'Kalm,' zo zou zichzelf op dit moment noemen.

'Wie was die vriend, wat heeft het je gekost om hem voor je te laten liegen?'

Even flitst het door haar hoofd dat Paul hoogstwaarschijnlijk op zo'n zelfde rustige toon een verdachte zou aanspreken.

Ze herhaalt haar vraag, dwingender nu: 'Wie was die vriend?'

Hij slaat zijn ogen op en prevelt woordjes, het zijn niet meer dan aaneengeregen letters zonder betekenis. Ze moet dichter naar hem toe schuiven om hem te verstaan. Mededogen wint het van afschuw als hij kermt van de pijn.

'Tineke...' zijn zoekende ogen bespieden haar.

'Ik ben Tineke.'

Met een nauwelijks merkbare beweging schudt hij zijn hoofd en zegt met een stem druipend van achterdocht: 'Jij moet... weggaan ik... ken jou niet.'

Ze staat op. Haar missie is volbracht. Even lijkt het alsof haar bevend lichaam weigert in beweging te komen. Ze zoekt een moment steun bij de bedrand en houdt onderwijl haar strakke blik op hem gericht. Ze weet, het is hopen tegen beter weten in, hij zal niet meer reageren. Misschien is dat voor haar zelfs beter. Zo blijven haar ook zijn voor de hand liggende ontkenningen en verweer bespaard. Ze kent de verhalen maar al te goed van vrouwen die tijdens zo'n confrontatie met hun belager zich totaal machteloos voelden, omdat de rollen op zo'n geraffineerde manier werden omgedraaid dat zij als slachtoffers zich moesten verdedigen tegen de verdachtmakingen van uitlokking en uitgemaakt werden voor liegende hysterica's.

Een plotselinge luchtstroom verraadt iemands aanwezigheid in de kamer.

Ze schrikt op als ze op haar schouder wordt getikt.

'Het gaat niet goed met Moeke, ze vraagt naar je, ik blijf wel even bij meneer Janssen.'

'Hij is wat onrustig, hij vraagt naar zijn vrouw.'

'Die heeft zojuist nog gebeld, de hele familie is onderweg.'

Hij is bang, hij is nog nooit zo bang geweest. Hij is bang voor een vreemde vrouw die hem belaagt. Wat wil ze toch van hem? Is de dood een vrouw? Hij zoekt troost bij zijn moeder maar zij is niet meer dan een ijle schaduw, ongrijpbaar. Het ene ogenblik reikt ze hem haar hand, het volgende moment trekt ze die weer plagend terug en draait ze van hem weg. Wanneer ze zich weer naar hem toedraait schemert het gezicht van die vreemde vrouw door het hare heen.

'Jij kent haar,' zegt zijn moeder. 'Ik ben je moeder,' zegt die vreemde vrouw. 'Je hebt straf verdiend, daarom maak ik je bang.'

Hij weet dat hij straf heeft verdiend. Hij weet dat al heel lang. Eigenlijk heeft hij het al altijd geweten. Het lucht hem op dat nu blijkbaar het moment is aangebroken dat de straf wordt uitgedeeld. Hopelijk komt hij nu ook eindelijk te weten waarvoor hij moet worden gestraft. Hij moet iets ergs hebben gedaan. Hij stapt over de rand en voelt dat hij blijft vallen, een koorddanser die omlaag tuimelt.

Dan voelt hij gras onder zich, gras dat zijn naakte lichaam streelt. Tineke, even naakt als hij, legt vol vertrouwen haar lichaam tegen het zijne. Zomaar een zomermiddag op een beschutte plek in hun tuin. Hij was nog nooit zo gelukkig geweest. Hij wil in die tuin blijven, het zou de hemel kunnen zijn. Maar als hij zijn ogen opent is alles weer helder. Hij weet het weer, hij werpt een blik op de jonge vrouw die aan het voeteneind op hem neer kijkt. Haar kent hij.

Was zij hier al die tijd? Was die ander niet meer dan een van zijn wanen?

Hij probeert in zijn geheugen te graven maar voelt de dreiging van nachtmerries weer opkomen.

De jonge vrouw schudt zijn kussen op en dept zijn tranen.

14

Ze schrikt als ze een moment denkt dat Moeke dood is. Een hevig gevoel van verwijt overvalt haar. Ze heeft haar alleen gelaten omdat ze zo nodig iemand ter verantwoording moest roepen voor haar eigen zielenrust.

Opgelucht ziet ze een ogenblik later het kruisje van de rozenkrans op haar borstje weer licht omhoog komen. Natuurlijk weet ze dat 'haar uur' zoals Moeke het noemt dichtbij is maar ze heeft haar beloofd samen dat laatste stuk af te leggen. Op het moment dat ze haar hand zachtjes tegen haar wang legt opent ze haar ogen en kijkt haar dankbaar aan.

'Ik was even ongerust,' fluistert ze, 'nu ben ik weer rustig, ik voel ik dat ik er morgen nog wel zal zijn maar zondag haal ik denk ik echt niet meer.'

Nu pas ziet Lily dat ze de foto van haar geliefde in haar hand heeft geklemd.

'Wil je er voor zorgen dat hij met me meegaat?' vraagt ze. 'Eerst mijn zondagse kleren aantrekken en daarna legt u hem hier,' met een vermoeide beweging legt ze haar handen op haar borst.

Lily streelt haar handen, 'natuurlijk gaat hij mee, we laten u echt niet alleen vertrekken.'

Zo blijven ze zitten, vier handen die ter bescherming een oude foto omsluiten. Grote liefdes mogen niet in vergetelheid raken.

Na een tijdje vraagt Lily: 'Wilt u een lekkere kers?' Moeke knikt. Ze neemt een volmaakt rijpe kers van het bordje, haalt de pit eruit en stopt de kers in kleine stukjes voorzichtig tussen haar lippen. Moeke sabbelt er een hele tijd genietend op voordat ze hem voorzichtig doorslikt. Moeke hoeft niet meer te eten maar krijgt alle lekkers waar ze nog trek in heeft. Na een tijdje maakt ze een lichte beweging met haar hoofd richting schaaltje.

'Nog een?'

'Ja, lekker.'

'Ik neem er zelf ook een.'

Met een bijna zintuiglijke genot laat Lily de kers in haar mond rondgaan. Ze permitteert zich even een vlucht in een vrolijke herinnering. Kersentijd, zomertijd, buikpijntijd omdat de gestolen kersen wel al verleidelijk maar nog lang niet rijp waren. Zij konden daar niet op wachten. Ze lachten om de boer die hen met een vervaarlijk zwaaiende riek achterna zat en hen de wei uitjoeg. Vanaf de achterste schoolbanken pitten naar voren schieten waar de vroomste meisjes van de klas hun best deden nog vromer te worden. Pret die zelfs de tik met de houten liniaal op je geopende hand niet kon drukken. Zij hoorde nooit bij de vroomste noch bij de liefste meisjes van de klas. Zij was een ondeugend kind. Ook later op de MULO heeft ze menig lerares het bloed onder de nagels vandaan gehaald. Haar vriendinnen hoefden het maar een keer te vragen en zij haalde het kattenkwaad wel uit. Zoals die keer in hun eindexamenjaar, dat ze, vlak voordat... Ze stopt, niet verder gaan, verder gaan betekent dat ze in het gevaarlijk gebied komt.

Een kuchje van Moeke redt haar.

'Binnenpretje?' vraagt Lily als er een vage glimlach op haar gezicht verschijnt.

'Ja, fijne herinneringen, maar ik maak me ook wel een beetje bezorgd.'

'U hoeft zich geen zorgen te maken,' haast Lily zich haar gerust te stellen. 'Voor u staat die hemelpoort wagenwijd open.'

'Ja, ik denk ook wel dat ik daar naar binnen mag en dat mijn lief me opwacht.'

'Waar bent u dan nog bezorgd over?'

'Dat hij me niet meer herkent, hij is natuurlijk altijd vijfentwintig gebleven en ik ben nu die oude taart van vijfentachtig,' zegt ze beschroomd.

'Hij herkent u zeker.' Lily hoort dat haar stem niet helemaal overtuigend klinkt. Ze roept zichzelf tot de orde. 'Hij weet al dat u eraan komt, hij wacht nu al vast vol ongeduld, hij zal u vast en zeker herkennen.' Na die vastberaden woorden sluit Moeke gelukzalig haar ogen. 'Gaat u maar weer lekker rusten.'

'Het is goed, ik wil wel even slapen. Zullen we eerst eventjes bidden?'

'Natuurlijk.'

Lily prevelt de gebeden met haar mee, eerst een Weesgegroet en daarna het Onze Vader. Meestal slaapt Moeke aan het begin van een tweede Weesgegroet al in. Ook al bidt Lily het gebed mee, voor haar zijn de woorden niet meer dan een bezwerende mantra. Maar vandaag blijven de laatste woorden van het Onze Vader tegen haar zin aan haar kleven.

Geef ons heden ons dagelijks brood en vergeef ons onze schuld zoals ook wij aan anderen hun schuld vergeven. En leid ons niet bekoring maar verlos ons van het kwade. Amen.

Vroeger heeft ze dat gebed duizenden keren afgeratelt en het is sindsdien nooit meer uit haar geheugen verdwenen, maar bij de woorden heeft ze nog nooit echt stilgestaan.

Na het tweede Weesgegroet is er van Moeke zelfs geen zacht geprevel meer te horen. Lily legt het dunne laken beschermend over haar verstrengelde handen.

'U bent mijn liefste verzorgster,' zegt ze met gesloten ogen.

'Slaap maar lekker, bewaar uw complimentjes maar,' antwoordt Lily verlegen, 'ik moet even weg maar kom zo meteen weer terug.'

Wanneer ze na een kort werkoverleg weer terug wandelt naar Moekes kamer, loopt ze bijna een klein kereltje omver.

'Jij moet Thomas zijn,' zegt ze. Kleine Thomas heeft de ogen van opa.

'Opa heeft over je verteld,' legt ze uit als de vader haar verwonderd aankijkt. Het zoontje drukt zijn handje nog steviger in de hand van zijn vader, die haar ontroerd aankijkt.

'Dat vindt opa het ergste,' zegt hij terwijl hij het kereltje met een zwaai op zijn schouder zet, 'dat hij nooit met zijn kleinzoon zal kunnen voetballen. Met ons heeft hij menig

'Waarom moet je nou weer zo'n ingewikkeld antwoord geven?'

'Omdat het een ingewikkelde kwestie is, Lily. Wie weet of hij jou in gedachten niet al honderd keer om vergeving heeft gevraagd?'

'Wie weet of hij niet nog meer vrouwen heeft verkracht.'

'Dat dat niet het geval is geweest weet jij maar al te goed. Je hebt me zelf verteld dat zijn vrouw heeft gezegd dat hij altijd een goed mens, een goede man is geweest.'

'Kom je daar nu mee. Had ik het maar niet verteld. Misschien heeft hij haar ook wel verkracht, verkrachtingen komen ook in het echtelijke bed voor hoor.'

'Lily!'

'Sorry, maar jij moet toch toegeven dat haar mening nu natuurlijk wordt bepaald door haar verdriet, wat ik wil zeggen is dat zij nauwelijks een objectief oordeel kan geven.'

'Misschien is zij daar wel beter toe in staat dan jij.'

'Dat is gemeen, je weet dat ik... dat ik... waarom kan jij nu niet eens... gewoon... volledig achter mij staan en zeggen: 'Je hebt het recht om hem ter verantwoording te roepen, je hebt het recht om hem aan te pakken!'

'Omdat ik weet dat je zelf bang bent voor de beslissing die je moet gaan nemen, omdat ik weet hoe groot je mededogen met een stervend mens is. Omdat ik niet weet of het je trauma niet zal vergroten. Je denkt dat je een wapen hebt dat jouw pijn zal opheffen. De vraag of je dat wapen wel mag gebruiken kun je alleen zelf beantwoorden. Dat antwoord moet wel zuiver zijn. Op dit moment ben je nog niet in balans Lily, je gevoel overheerst nog teveel.'

'O, ik krijg weer lessen van de specialist op het gebied van de ratio. Hoeveel lessen heb ik nodig denk je?'

Als hij niet meteen antwoordt imiteert ze honend zijn stem, 'Lily, zorg dat je eerst in balans bent voordat je iets doet waar je later spijt van krijgt.'

Als hij niet reageert gaat ze na een korte stilte met strakke stem verder: 'Je weet dat ik vaak blij ben geweest met je adviezen Paul, maar nu even niet. Jij weet heel goed hoe ik in het leven sta, inderdaad soms wat te impulsief maar zoals je weet; veel ongelukken heeft dat tot nog toe niet veroorzaakt, spijt heb ik nauwelijks gehad. Er is maar één ding waar ik al een leven lang spijt van heb, en dat is dat ik ooit met die bruut dat talud ben op gegaan.'

'Lily, ik heb het al eerder gezegd maar ik blijf het herhalen totdat je inziet dat ik maar één ding voor jou wil, dat jij, door wat je ook gaat doen, deze zaak kunt afsluiten. Zelfs, en ik zeg het nu nog maar eens nadrukkelijker, als dat ten koste gaat van de zielenrust van die man.'

'Je weet het wel weer mooi te zeggen, met me meeleven en me tegelijkertijd chanteren met de zielenrust van de dader.'

'Lieve, wat ik weet is dat wraak wel eens een boemerang kan zijn. We kunnen dit gesprek beter beëindigen en wachten totdat je weer wat redelijker bent.'

'Gaan we het nu over jouw beroemde redelijkheid en billijkheid hebben?' sneert ze.

Ze verbijt haar tranen van machteloosheid, als hij niet reageert.

'Begrijp je dan niet dat ik bang ben! Bang omdat ik, wat ik ook zal doen, nooit kan weten wat het mee zal brengen. Doe ik niets dan kan ik daar misschien mijn hele leven spijt van krijgen, doe ik wel iets, dan zijn de gevolgen misschien nog fataler voor me. Dus wat ik ook beslis, ik zal nooit weten of het de juiste beslissing is. Zelfs nietsdoen is al een beslissing.'

Hij slaat een arm om haar heen en zegt: 'Ik wou dat ik in staat was om dit voor je op te lossen, maar je weet dat ik dat niet kan, ik kan je alleen mijn steun aanbieden.'

Zijn woorden breken haar weerstand. 'Jij bent een grote steun voor me,' antwoordt ze.

'Ik ben alleen zo moe, ik slaap nauwelijks en kan bijna aan niets anders denken. Het is niet alleen dit helse dilemma maar het is ook nog de tijd die me opjaagt, de angst dat die voor me gaat beslissen.'

'Misschien is de tijd niet je grootste vijand, hij heeft je er in ieder geval nog steeds van weerhouden te handelen naar je eerste impuls.'

'Ik denk dat tot nu toe mijn mededogen sterker is geweest dan mijn minder mooie intenties, maar ik blijf in de ban van die woede.'

'Probeer maar eens als dat lukt, op welke manier dan ook, om die uit te razen.'

'Dank je, ik zal het proberen. Ga jij nu maar rustig terug naar je boek, of misschien wil je nog even aan het werk in je atelier. Ik ga eens een flinke wandeling maken. Mijn hoofd leeg maken.'

'Zal ik met je mee gaan? Dat doe ik met alle plezier.'

'Lief van je, maar ik verdraag op dit moment nauwelijks mijn eigen gezelschap. Het wordt tijd dat ik met mezelf in conclaaf ga. Misschien ga ik in het bos wel tegen de hemel razen. Ik kan het niet langer blijven uitstellen, ik moet een beslissing gaan nemen. Drinken we een glas als terug kom?'

'Ik zal iets moois open trekken.'

De stilte in het bos confronteert haar met haar ongedurige geest. Ze weet het, de boemerang heeft al doel getroffen. Het is de razende woede in haar borst die haar uit haar slaap houdt en die de hele dag door haar normale gedachtegang belast, en die haar nu zelfs ervan weerhoudt om sentimenteel te genieten van haar omgeving. Maar zelf slachtoffer worden van haar wraak is het laatste dat ze wil. Haar onderdrukte boosheid zoekt een uitweg en vindt die in een woord: 'Klootzak!' Ze spuugt het woord naar buiten en blijft het ritmisch herhalen totdat de razernij verstomt. Het lijkt alsof ze zich nu lichter voelt. Langzaam loopt ze dieper het bos in.

Op de kruising blijft ze even staan, haalt diep adem en concentreert zich op het door boomwortels in bezit genomen pad omlaag.

Beneden, beschermd door een dak van kruinen, verspreidt de aarde haar mosachtige geuren. De koelte bestrijkt gelijkmatig haar lijf. Voorzichtig ontspant ze en laat de geluiden van het bos tot zich doordringen. Als ze haar hoofd heft ziet ze hoe bewegende bladeren een spelletje spelen met de banen zonlicht. Zo simpel kan het leven zijn. Ze voelt hoe de kramp in haar borst vloeibaar wordt en lang-

zaam haar lichaam verlaat. De opluchting die ze voelt ontroert haar evenzeer als de gedachte aan Paul. Ze weet dat ze
hem pijn doet met haar miskenningen en haar verdachtmakingen dat hij partij zou kiezen tegen haar. Ze is blij dat
Paul niet was teruggekomen op een mogelijkheid die hij al
eerder had geopperd: dat het aangaan van de confrontatie
wel eens louterend zou kunnen werken. Als rechter had hij
een dader zo'n ontmoeting vroeger wel als bijkomende straf
opgelegd, omdat hij verwachtte dat dat het slachtoffer zou
kunnen helpen. Maar hij heeft haar ook verteld dat zulk een
confrontatie soms bijna uit de hand was gelopen.

Zou een confrontatie haar kunnen helpen? Zou die louterend kunnen werken? De rollen zijn nu omgedraaid. Nu is
hij het slachtoffer, maar de vraag is: wil zij dader worden?

9

Zonder gêne beschijnt de zon de begrafenisstoet op weg naar de ingang van de kerk. Uitdagend werpt hij, zeker van zijn overwinning op de duisternis, zijn schijnsel over de zerk. Zo zal de pastoor het zo dadelijk ook gaan verwoorden: 'Het licht zal overwinnen.' Woorden voor platgetreden paden om in Gods troost te geloven. Lily gelooft niet in Gods troost. Lily gelooft allang niet meer in een hemelse God. Lang voor de kerken begonnen leeg te lopen had zij al besloten Gods hemel te laten voor wat hij was en te genieten van de aardse hemel. Desalniettemin respecteerde zij het geloof van anderen. Als ze zag dat mensen troost vonden in hun geloof en daardoor de dood makkelijker aanvaardden stemde haar dat tevreden. Maar als ze de doodsangst zag van stervenden die door de jarenlange indoctrinatie zichzelf als verdoemd beschouwden en een wrekende God verwachtten, overviel haar een machteloze woede. In die staat had ze het zich wel eens gepermitteerd de vraag te stellen aan de pastoor waarom hij niet veel meer over Gods grote liefde en vergevingsgezindheid vertelde dan over berouw tonen? Uit de hoogte had hij haar erop gewezen dat leken zich niet moeten bemoeien met klerikale zaken, en het welzijn van de ziel aan hem moeten overlaten. Beledigd had ze gezwegen en vastgesteld dat arrogantie en intimidatie nog steeds stevige steunpilaren waren voor Heilige Huisjes. Ze had er bij haar collega's op aangedrongen uit te kijken naar een wat liberaler pastor, tot nu toe hadden ze die echter nog niet kunnen vinden.

Zou Thieu zich nu ook afvragen of hij nog verantwoording zou moeten afleggen voor een hemelse rechter? Of zou hij zich veertig jaar geleden, toen iedereen nog godsvruchtig en godvrezend was, in de biechtstoel hebben laten vergeven om zodoende schuldloos verder te kunnen leven? Had hij toen zijn doodzonde, beschermd door het gordijn in zijn rug, opgebiecht aan de alles-moeten-wetende kapelaan of deken? En had hij daarna dat enge hokje met een schoongewassen zieltje weer mogen verlaten, om rustig verder kunnen te leven? Zo werkte dat bij de rooms-katholieken. Je vertelde tegen een getralied luikje je zonden en ging weer geheeld de kerk uit.

Tot in welke details had hij zijn doodzonde moeten toelichten? Had hij haar naam genoemd?

Zou die biechtvader hem hebben toegesist dat hij voor deze zonde eigenlijk zou moeten branden in de hel maar dat een vergevingsgezinde God tevreden zou zijn met een boetedoening? Hoeveel Weesgegroetjes en Onze Vaders zou hij hem in naam van God hebben opgelegd? Zij kan zich nog herinneren dat ze wanneer ze zelf aan de slag moest met een grote penitentie en er nog meer mensen in de kerk zaten, ze dan na een tijdje God beloofde om 's avonds in bed haar restschuld in te lossen. Want iemand die na de biechtstoelgang te lang biddend met gevouwen handen voor zijn ogen

bleef zitten, werd voordat je het wist door zijn medeprevela-
ren al snel verdacht van een doodzonde. Die moest wel heel
erg hebben gezondigd!

Wanneer ze dan per ongeluk 's avonds vergat haar belofte
na te komen schrok ze soms midden in de nacht in paniek
wakker. Want mocht ze vannacht nog sterven, dan zou ze
immers rechtstreeks naar de hel gaan! Pas nadat een schik-
king met haarzelf een 'kleine' zonde had opgeleverd lukte
het haar dan om opnieuw in te slapen. De tijdelijkheid van
het vagevuur kon ze nog wel aan nadat ze van de eeuwigheid van de hel, die haar had besprongen met een beklem-
mende angst, was bevrijd.

Ze weet niet meer precies wanneer, wel dat ze nog ontlui-
kend jong was toen haar geest werd verlicht. Helaas voor de
kerk niet op de manier die heilig genoemd mocht worden.
De inzichten die haar ten deel vielen bevrijdden haar van de
angsten en verplichtingen die haar tot dan door haar doop-
sel hadden belast. Haar ouders hadden nog geprobeerd hun
rebellerende dochter weer in het gareel te krijgen, maar
meer dan de belofte dat ze niet openlijk zou verkondigen
dat ze in plaats van haar zondagsplicht te vervullen liever
ging paardrijden, had dat niet opgeleverd. Toch was ze om
haar ouders niet te grieven uiteindelijk kerkelijk getrouwd.
En om dezelfde laffe reden had ze de meiden ook laten do-
pen. Zonder overtuiging maar zich hypocriet conforme-
rend aan de sociale druk. Daarna had ze haar kerkbezoek
voorgoed beperkt tot bruiloften en begrafenissen.

Het kerkhof bezoekt ze wel een paar keer per jaar. Zoals vandaag. Want vandaag viert haar moeder, helaas onder een betonnen grafsteen, haar vijfentachtigste verjaardag. Samen met haar man het motto *tot de dood ons scheidt* logenstraffend.

Terwijl ze verse bloemen in de vaas zet praat ze in gedachten met hen. Gewoonlijk haalt ze met haar vader herinneringen op en vraagt ze moeder om advies bij wat alledaagse zorgen en deelt ze de laatste roddels. Maar vandaag heeft ze verpletterend nieuws!

Ze stelt zich hun geschokte reacties voor. Moeder zou ongetwijfeld na de eerste schrik meteen beginnen met adviezen aan te dragen. 'Je moet boven hem staan, hem negeren, jij hebt uiteindelijk gewonnen, hij heeft toen het dorp moeten verlaten, niet jij.' En vader zou haar voorzichtig vragen 'of ze misschien niet net kan doen of ze hem niet herkent; weet ze trouwens echt wel zeker dat hij het is...?' Haar vader zou zoals verwacht weer voor de veiligste weg kiezen. Het besef dat hij zijn gedane belofte nooit zal inlossen, dat hij zijn kleine meid in de kou heeft laten staan, doet nog steeds pijn.

Ze schikt wat overbodigs aan de bloemen en realiseert zich plotseling dat ze nooit eerder heeft stilgestaan, of überhaupt heeft nagedacht over moeders uitspraak 'Hij heeft het dorp moeten verlaten'. Wie of wat heeft hem toen weggestuurd? Het antwoord op die vraag lijkt nu opeens van belang. Misschien kan ze het hem zelf vragen. O God, nee, want dat betekent dat ze met hem zal moeten praten.

Haar ouders waren enkele jaren nadat zij naar Haarlem

was vertrokken, verhuisd naar de stad. Sindsdien was ze zelf ook nauwelijks meer in het dorp geweest. Ondanks dat ze er zeventien jaar heeft gewoond blijft het dorp in haar geheugen een schemerig gebied.

Ze buigt respectvol haar hoofd als de stoet haar passeert op weg naar het vers gedolven graf. Wanneer een donkere wolk voor de zon schuift valt haar schaduw over de gedenksteen van haar ouders. Gevangen in een vreemde intimiteit blijft ze nog even besluiteloos staan, onderwijl starend naar hun uitgebeitelde namen. In het besef dat ook haar ouders haar geen oplossing kunnen bieden voor haar tweestrijd en dat langer uitstel zeker niets zal oplossen neemt ze haar besluit: ze zal nu naar het hospice gaan en zich vanaf nu ondergeschikt maken aan het verdere verloop.

Op weg naar haar auto wordt ze overvallen door een zomerse regenbui. Met niet meer bescherming dan twee handen boven haar hoofd wordt ze binnen enkele minuten overgoten. Al snel plakt de kletsnatte dunne zomerjurk vast aan haar warme lijf. Die aangename afkoeling gaat echter snel over in een onaangename kou. Ze rilt, maar de vraag of die lichte huivering veroorzaakt wordt door het van buiten komend onheil of door de emotie die haar besluit met zich meebrengt wil en kan ze niet beantwoorden. Ze stapt in de auto, ze zal eerst naar huis moeten om zich op te knappen.

De afwezigheid van Pauls auto vertelt haar dat hij waarschijnlijk naar de stad is. Soms heeft ze best de behoefte om alleen te zijn, maar wanneer ze het huis betreedt als hij er niet is lijkt het of het haar minder vriendelijk ontvangt.

Ze loopt naar boven, trekt snel de natte jurk uit, slaat een handdoek om en zet even de föhn op haar natte haar. Als ze voor de kast staat om een jurk te pakken betrapt ze zich erop dat haar keuze niet geheel vrijblijvend is. Het heeft geen zin om het te ontkennen: ze overdenkt de mogelijkheid dat ze dadelijk misschien 'gezien' zal worden.

Met een langdurige blik keurt ze haar spiegelbeeld. Zal hij haar nog herkennen? Hoeveel rest er nog van dat zeventienjarige meisje? Het haar krult nog steeds, maar niet meer zo sterk. Het grijs dat het blond al lang heeft overwoekerd wordt verzacht door de speelse krullen die nog steeds iets jeugdigs hebben. Doordat haar huid dik is lijken rimpels minder hard gesneden. Haar lippen heeft ze zoals altijd, bijna levenslang, verfrist met een vrolijke heldere kleur. Sommige 'vriendinnen' zeggen dat dat eigenlijk niet meer kan op haar leeftijd, terwijl andere juist vinden dat het haar doet sprankelen. Aan beide opmerkingen laat ze zich weinig gelegen liggen, ze vindt dat het gewoon bij haar hoort, het is bovendien de enige make-up die ze gebruikt. Geconcentreerd zoekt ze in de spiegel naar de oogopslag waarvan mensen zeggen dat die zo nieuwsgierig is.

Paul heeft haar gerustgesteld door uit te leggen, dat ze gewoon een onderzoekende oogopslag heeft die mensen wel eens wat onzeker kan maken. Die onderzoekende blik ontmoet ze nu zelf. Hij is op zoek naar sporen van een zeventienjarige. Maar de zoektocht levert niet het gewenste resultaat, beelden verschuilen zich achter melkachtig glas. Ze besluit haar gemankeerde geheugen een handje te helpen. Eén fotoboek, met foto's van haar leven vóór Paul, heeft ze

nooit tussen de stapel fotoalbums in de boekenkast beneden gezet, maar bewaart ze hier in de slaapkamercommode.

Ze steunt haar rug tegen de beddenkussens, legt het al-
bum in haar schoot en slaat het open. Snel bladert ze van de
peuter naar het spelend kind om uiteindelijk bij de puber
uit te komen.

Ze kan er niet meer onderuit, de herinneringen die ze
koesterde heeft ze ontvangen van een liegend geheugen. De
foto op haar schoot vertelt de waarheid. De geforceerde lach
moest de onzekerheid en schaamte van een zeventienjarige
camoufleren. De verwarring over dat te grote en te gevulde
lijf was allesoverheersend geweest. Ze ziet nu duidelijk dat
ze een pose aannam die haar moest helpen om met gebogen
rug de voorkant te verbergen. De voorkant die borsten eta-
leerde die niet in verhouding waren met die slungelachtige
benen en voeten in witte sokjes. Kon zo'n plomp lichaam
al wellust van jongens oproepen? De concentratie waarmee
ze zich inleeft in dit zeventienjarige wicht levert beelden op
die haar weer laten zien hoe ze haar schooltas als een schild
gebruikte om datgene waar de andere meiden jaloers op
waren te verstoppen. Het resultaat van de opvoeding in een
schaamtecultuur.

Nu herinnert ze zich ook weer dat ze, omdat ze zich ongemakkelijk voelde, het vertikte om nog langer naar de
typeles te gaan. En dat ze weigerde haar moeder, die de les
belangrijk voor haar algemene ontwikkeling had gevonden,
de reden te bekennen. Later kwam de bedoeling van de
typeleraar, die telkens weer haar schouders naar achteren
trok en haar sommeerde om rechtop te blijven zitten waar-

door haar borsten nog prominenter in zicht kwamen, in een minder dubieus daglicht te staan. Dat gebeurde pas toen Paul haar jaren later beval op te houden met het schikken van haar jurk om de voorzichtige welving van haar decolleté te verbergen. Hij had haar schouders in een vaste greep naar achteren getrokken en haar voorgehouden dat ze trots haar rug moest rechten in plaats van zich te schamen. Hij had dat nooit zo uitgesproken maar misschien had die leraar indertijd hetzelfde bedoeld, misschien had hij het alleen maar goed met haar voorgehad.

Verder bladerend ziet ze zichzelf staan met een arm stevig om haar hartsvriendin geslagen. Ze raakt ontroerd als ze de herinnering ophaalt van het moment waarop ze elkaar eeuwige vriendschap beloofden. Zij heeft haar verloochend. Ze had haar nooit in vertrouwen genomen, maar zich met een klungelig smoesje van haar losgemaakt. De schaamte was groter geweest dan de pijn van het gemis. Bedrog hoort blijkbaar bij het leven. Zelfs extatische jeugdvriendschappen vervliegen onder druk van de tijd.

Thieu had, zoals gebleken, wel een vriend in vertrouwen genomen. Een die zelfs zo trouwhartig was geweest dat hij liegend voor hem had willen getuigen. Zou die vriendschap het wel hebben gered? Levenslang verbonden door de grote leugen?

Als ze een groepsfoto van het vriendinnenclubje op de kermis bestudeert kan ze niet anders dan vaststellen dat al haar vriendinnen, hoewel nog behoorlijk sprietig, veel mooier waren dan zij. Waarom dan toch zij? Het moet wel aan die uitstulpingen hebben gelegen. Langzaam schuift ze van het bed en bergt het fotoalbum weer zorgvuldig op, meer antwoorden zal ze er niet in vinden.

Ze laat een briefje achter voor Paul met de mededeling dat ze waarschijnlijk wat later thuis zal zijn en stapt in haar auto.

Op weg naar haar bestemming is ieder oponthoud welkom. Onnodig lang blijft ze achter een tractor hangen totdat de boer haar zo nadrukkelijk naar voren zwaait dat ze wel moet passeren. Ongemerkt gaat ze steeds langzamer rijden. Ze zet de auto even aan de kant als ze arriveert bij het punt waarop ze het eerste zicht krijgt op het hospice. Aarzelend zoekt haar blik de open ingang die met zijn gastvrijheid het taboe van de dood wil doorbreken. In gedachten noemt ze het huis wel eens 'een hotel met de dood als gastheer'. Wanneer zal Thieu worden opgehaald?

Ze voelt hoe de angstige verwachting waarin ze verkeert haar een droge mond bezorgt. Nadat ze een snoepje uit haar tas heeft gevist, en haar blik het huis weer zoekt, slaat een onverhoedse vrees toe. Er staat een bekende auto. Ontzet slaat ze een moment de handen voor de ogen. Maar ze kan de waarheid niet ontvluchten. Er is geen twijfel mogelijk: het is de auto van de begrafenisondernemer die daar met opengeslagen achterklep voor de zij-ingang staat geparkeerd. Radeloos grijpt ze naar haar hoofd. Haar adem stokt. Ze is te laat! Ze slaakt een stille kreet. Spijt bijt in haar nek en laat haar kennismaken met het gevoel dat vanaf nu levenslang haar deel zal zijn. Te laat... te laat. Diep zuchtend maant ze zichzelf tot kalmte. Langzaam zoekt haar hart weer zijn normale ritme. Met een aangeslagen blik staart ze naar de auto waaruit ze nu twee mannen een kist ziet tillen. Dan sluipt een bescheiden gevoel van opluchting binnen – misschien is hij het wel niet die word opgehaald, misschien heeft ze haar conclusie wel te overhaast getrokken. Het is toch ook mogelijk dat het een van de andere gasten is? Het zijn tenslotte allemaal 'mensen van de dag' zoals dat zo makkelijk wordt gezegd. Soms komt de begrafenisondernemer wel drie keer in de week, de andere keer soms drie weken niet, met de dood valt nu eenmaal geen afspraak te maken.

Zonder achteruit te kijken draait ze weer de weg op. Een engeltje op haar schouder leidt een achteropkomende auto in een snijdende beweging om haar heen. Ze buigt in een mea culpa haar hoofd in de hoop om zodoende verschoond te blijven van het schelden van de woedende bestuurder.

Ze moet te weten zien te komen wie er is gestorven. De simpele mogelijkheid om gewoon naar binnen te lopen en te vragen wie het is vervalt snel. Ze wil niet het risico nemen dat ze misschien zijn vrouw tegen het lijf loopt. Ze beseft dat ze de beslissing 'zich ondergeschikt te maken aan het verloop' te lichtzinnig heeft genomen. Ze wil toch de regie over haar handelen niet uit handen geven aan toevalligheden. Even overweegt ze nog om naar de lijkwagen te rijden. En dan? Ze kan toch moeilijk aan de chauffeur vragen of hij weet wie er wordt opgehaald.

Er is maar een manier, ze zal haar collega moeten bellen. Ze rijdt terug en stopt bij een telefooncel. Ze haalt een paar keer diep adem zodat ze met rustige stem haar informatie kan vergaren.

balletje getrapt en ik kan me geen wedstrijd herinneren dat hij er niet bij was. Een echte voetbalvader.'

'Opa, ik wil naar opa,' eist het manneke.

'We laten opa nou even rusten, morgen komen we weer terug,' belooft hij. En tegen Lily: 'Ik kom meestal overdag, mijn vrouw is acht maanden zwanger, die wil ik 's nachts niet graag alleen laten.'

Lily knikt begrijpend.

Een uurtje later meldt zich een al wat oudere vrouw.

'Ik ben een zus van meneer Janssen, kan ik naar hem toe?'

'Ja, gaat u maar gerust.'

Lily kijkt haar even nadenkend na. Terwijl andere bezigheden haar aandacht vragen duikt de vrouw telkens weer aan de rand van haar gedachten op. Een vage mogelijkheid en een idee dat ze niet begrijpt schieten door haar hoofd. De twee vragen erom gekoppeld te worden.

Pas na een hele tijd, als de vrouw al gedag heeft gewuifd en weer naar buiten loopt, dringt het tot haar door. Ze springt op en rent achter de vrouw aan. Vlak bij de uitgangspoort houdt ze haar staande en vraagt hijgend: 'U bent toch een zus van meneer Janssen?'

'Ja, ik was net bij hem.' Ze schudt haar hoofd, 'ik weet niet of hij weet dat ik geweest ben. Soms denk ik van wel maar dan denk ik weer dat hij me niet meer herkent.'

'Hij heeft u vast wel herkend,' zegt ze bemoedigend, 'u bent zijn zus.' Ze houdt even haar adem in voordat ze vraagt: 'De oudste zus?'

'Ik ben zijn lievelingszus, ja, inderdaad de oudste.'

Nu komt het erop aan de kans die haar geboden wordt te grijpen. Ze haalt diep adem voordat ze vraagt: 'Zou ik misschien even met u mogen spreken?'

De vrouw kijkt haar verbaasd aan. 'Spreken met mij? Waarover?'

'Ik heb een paar vragen, waarmee ik meneer Janssen niet wil lastigvallen.'

De vrouw werpt even een blik op haar horloge, antwoordt: 'Ik heb nog wel tijd,' en loopt terug richting ingang.

'We kunnen ook in de tuin gaan zitten,' stelt Lily snel voor.

'Ik vind het prima, laten we nog maar even profiteren van het mooie weer, zo lang het nog kan.'

'Zoekt u maar alvast een plekje, ik meld even dat ik buiten ben.'

Nadat ze zich binnen heeft afgemeld en gehaast terug de tuin inloopt begint ze koortsachtig de vragen te repeteren die ze wil gaan stellen. Haar zoekende blik vindt Thieu's zus terug op het bankje onder de magnolia. Gelukkig ziet ze snel in dat het geen pas heeft om te zeggen dat dit bankje voor haar en Moeke is gereserveerd. Het is nu niet het moment voor sentimentele overwegingen. Na een korte aarzeling neemt ze naast haar plaats.

Al bij de eerste woorden stelt ze vast dat haar stem, die ze onbewogen wil laten klinken, toch onvast klinkt: 'Van Tineke heb ik begrepen dat uw broer vroeger bij u in huis heeft gewoond.'

'Ja, dat klopt...'

Gespannen probeert ze te achterhalen of er in dat korte

antwoord iets van achterdocht doorklinkt. Niettegenstaande dat ze er niet helemaal gerust op is stelt ze haar volgende vraag.

'Uw schoonzus lijdt eronder dat uw broer nooit spreekt over zijn verleden; heeft u misschien een idee waarom hij zo zwijgzaam is?'

'Hij heeft nooit veel gesproken.'

Nog steeds wankel zet Lily de volgende stap.

'Uw schoonzus denkt dat uw broer getraumatiseerd uit de oorlog is teruggekomen.'

'Over de oorlog heeft hij nooit iets willen vertellen. Maar een ding weet ik zeker: de Thieu die vertrok, hebben we nooit meer terug gekregen.'

Geschrokken maakt Lily zich breed wanneer ze een van de vrijwilligers met een appel in haar hand hun richting uit ziet komen. Gelukkig begrijpt die snel Lily's non-verbale afwijzing en loopt door naar de hoek van het hofje. In het besef dat ieder moment iemand of iets haar gesprek kan verstoren praat Lily gehaast verder.

'Toen we probeerden een blik op uw broers jeugd te werpen, herinnerde Tineke zich dat uw broer bij u woonde in de tijd dat zij hem leerde kennen.'

Als de zus niet reageert op deze vaststelling die als een vraag in de lucht blijft hangen, gaat ze haastig verder.

'Zij realiseert zich nu dat ze eigenlijk nooit heeft geweten waarom dat was, of wat de aanleiding daartoe is geweest, ze zou dat nu toch graag willen weten.'

'Dat had ze toch gewoon kunnen vragen.'

Gedwongen door de stilte die ze na dit antwoord laat vallen probeert Lily, die nog zoveel vragen heeft, haar te vleien.

'Als lievelingszus kende u uw broer zeker het allerbeste. U weet hoogstwaarschijnlijk meer van de omstandigheden uit die tijd en kent de reden waarom hij bij u kwam wonen. Misschien is het ook wel een pijnlijke tijd voor hem geweest. Mogelijk is iets van die pijn van toen blijven hangen.' Ze houdt haar adem in, bang dat haar schorre stem haar verraadt.

De vrouw draait zich vol naar haar toe en kijkt haar oprecht verbaasd aan.

'Waar hebt u het toch over, wat wilt u eigenlijk weten?'

'Ik bedoel,' stamelt Lily, 'dat het misschien niet alleen... die oorlog is geweest waaronder hij heeft geleden.'

'Nou dat weet ik wel heel zeker. Die oorlog heeft hem kapot gemaakt.'

Ze weet dat de vraag misschien te gewaagd is en dat ze de kans loopt dat de vrouw geïrriteerd zal opstaan, maar ze heeft geen keuze.

'Dus omdat hij geleden had in de oorlog is hij bij u komen wonen?'

'O nee, dat had een heel andere reden,' verzucht ze, 'alsof die arme jongen nog niet genoeg had doorstaan werd hij, hij was nog geen maand thuis, vals beschuldigd door een of andere gekke meid uit het dorp. U moet zich voorstellen dat al die meiden achter hem aan liepen. Hij moest ze als het ware van zich afschudden.'

'Waar werd hij dan van beschuldigd?' vraagt Lily met hese stem.

Met duidelijk tegenzin antwoordt ze: 'Verkrachting. Die

meid die eerst dolgraag met hem wilde vrijen beweerde naderhand dat Thieu haar had verkracht. Nou, ik weet een ding zeker: onze Thieu hoefde niemand te verkrachten, hij kreeg ze allemaal op een presenteerblaadje aangeboden.'

Dan, plotseling op haar hoede: 'Maar waarom wilt u dat allemaal weten?'

'Omdat het goed kan zijn dat die gebeurtenis er ook aan heeft bijgedragen dat hij zich zo afsloot voor iedereen.'

'Wat die meid beweerde, zal hem niet zo veel hebben uitgemaakt. Ik heb hem in die tijd eens uitgehoord en hij heeft hij me toen verteld dat ze lagen te vrijen en dat zij ineens zogenaamd niet meer wilde terwijl hij er van overtuigd was dat ze wel wilde. Hij was wel dronken, misschien was het daardoor een beetje uit de hand gelopen. Hij zag er niets kwaads in. Maar toen die meid hem de politie op zijn dak stuurde werd het natuurlijk ernst.'

'Maar als het niet zijn bedoeling was geweest had hij dat toch kunnen uitleggen?'

'Die meid wilde hem koste wat kost pakken, zij was de dochter van zo'n dikkop in het dorp, daar had Thieu geen enkele kans tegen.'

'Is hij dan veroordeeld?'

'Nee, hij heeft het geluk gehad dat een vriend tegen haar wilde getuigen en toen hadden ze natuurlijk geen poot meer om op te staan. Het is ook al zo lang geleden, zelf woonde ik al tien jaar niet meer in het dorp, ik weet het ook niet meer allemaal precies,' antwoordt ze met een lichte ondertoon van irritatie in haar stem.

Lily beseft dat voorzichtigheid nu geboden is. Zo achteloos mogelijk vraagt ze: 'Wat zou die vriend dan getuigen?'

'Dat die meid vóór Thieu ook al met hém was geweest.'

'Dus hij ging liegen voor Thieu?'

'Dat weet ik niet, misschien loog hij wel niet.' Lily, die merkt dat haar tegenzin tot antwoorden groeit, haalt opgelucht adem als ze verder gaat.

'Het was trouwens niet Thieu's idee om het zo te spelen.'

'Nee? Wiens idee was het dan wel?'

'Dat had die politieman samen met haar moeder bekokstoofd.'

'Met háár moeder??' Lily beseft dat ze bijna schreeuwt. 'Dus die wist er van?'

Ze verliest alle veiligheid uit het oog, het deert haar niet meer, ze herhaalt het nog eens: 'Vergist u zich niet? Waarom zou die moeder dat doen?'

'Simpel. Die moeder wilde de rechter er koste wat kost buiten houden. Zij was als de dood dat een openbare rechtszaak haar dochter voor altijd te schande zou hebben gemaakt. Want het blijft wel vreemd natuurlijk dat je eerst...'

Ze valt haar onbeschaamd in de rede: 'Hoe weet u dat ? Hoe kan een moeder dat doen?'

'Ik denk dat die dochter, haar enige kind, haar zo heilig was dat ze daar alles voor over had en dat zij heeft gedacht er goed aan te doen. Wel moest Thieu beloven dat hij uit het dorp zou vertrekken. Dat heeft hij altijd als een groot onrecht beschouwd. Maar hij wist ook dat ze hem kapot konden maken. In het dorp werd toen al geroddeld.'

'En die vriend, loog hij uit pure vriendschap?'

'Uit vriendschap en voor een kratje bier dat hem beloofd

was. Maar wat wilt u nou met dit verhaal? Ik kan me niet voorstellen dat Thieu hier last van heeft gehad.'

Ze werpt een snelle blik op haar horloge en springt op. 'Ik moet nu echt gaan.'

Bijna bij het poortje van de uitgang draait ze zich plotseling om. 'Er valt me juist in dat ik wel weet wat hem echt dwars zat: hij heeft nooit kunnen verkroppen dat die meid heeft verteld dat hij haar had geslagen.'

'Dat heeft ze nooit gezegd,' stoot Lily uit.

Stomverbaasd en zonder haar achterdocht te verbergen vraagt ze: 'Wat weet u daarvan?'

'Omdat het niet voor de hand ligt. Als je ligt te vrijen... slaan is toch iets heel anders...' hakkelt ze.

'Misschien heeft die meid dat wel verzonnen om de zaak erger te maken. Thieu heeft het in ieder geval nooit kunnen verkroppen dat hij ervan werd beschuldigd een vrouw geslagen te hebben.'

'Misschien heeft die politieman dat er wel bij verzonnen,' fluistert Lily nog.

'Ik heb u verteld hoe het was, mijn broer is een goed mens die nog nooit een vlieg kwaad heeft gedaan, en daarmee basta.'

Ze draait zich om en zegt over haar schouder: 'Ik hoop dat hij me morgen weer herkent. U moet hem maar niet gaan lastigvallen met dit verhaal, het is geen prettige herinnering voor hem.'

Lily blijft verdwaasd achter. Het relaas dat ze zojuist te horen heeft gekregen duizelt in diverse varianten door haar hoofd. Langzaam begint de waarheid tot haar door te dringen.

Vage onduidelijke zaken worden plotseling pijnlijk helder. Haar moeder had... haar moeder had... Ze moet blijven denken dat zij het voor haar bestwil deed.

Hij had haar één keer verraden. Het tweede verraad was door haar moeder gepleegd.

Ze hoeft niets meer te weten over die vriend. Hij was niet meer geweest dan een toevallige passant die voor een krat bier de waarheid had vermoord. Maar haar moeder... Haastig verwerpt ze de gedachte dat vader er misschien ook... nee, nee daar was hij te rechtschapen voor.

Ze is doodmoe, voelt zich leeg. Ze wil weg van hier, ze wil naar huis. Maar ze weet dat ze terug naar binnen moet. Terug naar Moeke, die kan en mag ze nu niet in de steek laten. Het liefst zou ze voor altijd in de beschutting van de magnolia blijven zitten. Maar de klepel van de kerkklok meldt uit de verte dat de wereld niet blijft stilstaan.

Uiteindelijk staat ze met zware benen op. Moeke verwacht haar. Op weg naar haar stopt ze in trance voor de deur van Thieu's kamer. Ze dwingt zich de deur te openen en blijft vervolgens bewegingloos in de deuropening staan.

Ze ziet een man in bed liggen, vechtend tegen de dood. Hij lijdt, ze wenst hem toe dat hij niet lang meer hoeft te lijden.

Ze stopt de foto die eruit is gevallen terug in Moekes handen en wordt daarvoor beloond met een haast onaardse glimlach. Moeke is nu voorgoed onderweg.

Ze gaat zitten, ze wil zelf ook op weg. Op weg naar vrijheid. Ze wil niet dat haar leven nog langer wordt gedicteerd door ronddolende gedachten. Ze zal ze moeten verbannen als ze verder wil met haar leven. Het hekwerk dat haar verhindert met plezier aan haar jeugd terug te denken moet voor eens en voor altijd worden gesloopt. Ze wil geen tijdsindeling meer van voor en na. Ze wil zonder belemmeringen kunnen terugkeren naar die onschuldige tijd. Als het niet zo treurig was geweest had ze er bijna om moeten lachen. Haar moeder die naar illegale middelen grijpt omdat ze denkt haar te moeten beschermen. Haar moeder die fraudeert ... Paul zou haar alsnog veroordelen. Maar ze kent ook verhalen van Paul dat advocaten soms met vuige insinuaties slachtoffers tot dader benoemen.

Had die politieman moeder ervan weten te overtuigen dat haar dochter dat gevaar ook zou lopen? Was dat wat moeder haar had willen besparen? Ook omdat ze wist dat de helft van het dorp gegarandeerd Thieu, de oorlogsheld, zou geloven. Want waar rook is...

Alles ter bescherming van haar dochter? Alles uit liefde? Ze wil geen vragen meer die nooit beantwoord kunnen worden. Ze wil terugdenken aan de moeder die haar lief was. Aan de moeder die haar beschermde, aanspoorde, veiligheid bood en haar af en toe schandalig verwende.

Ze wil terugdenken aan de moeder bij wie ze als kind om de hals hing als die liedjes uit operettes voor haar zong. Aan de moeder die haar plaagde toen zij, als puber, daar niet meer van wilde weten; *Niet zingen als mijn vriendinnen er zijn, mam!*

Haar moeder die op zondagmorgen, als vader weer eens

repen Kwattachocolade aan het verzamelen was, haar lijf-
lied uit de Fledermaus voor haar zong: *Glücklich ist, wer
vergisst...*

Was haar moeder wijs?

Is vergeten levenskunst?

Nog een keer schenkt Moeke haar een blik.

Lily wordt week, ze voel hoe het verzet langzaam weg
vloeit om plaats te maken voor berusting.

Verheugd omhelst ze de bevrijdende mildheid die Moeke
in haar hart strooit.

Ze zal bij haar blijven totdat ze haar in de armen van haar
geliefde weet.

Daarna zal zij naar huis gaan, naar Paul en hem vragen
met haar naar Berlijn te gaan om haar vrijheid te vieren.

Met dank aan Wiel voor zijn inspirerende steun
en aan Yvonne voor het meelezen